Corso multimediale d'italiano

Linda Toffolo
M. Gloria Tommasini
Renate Merklinghaus

Libro dello studente ed esercizi

www.edilingua.it

Sede legale
Via Cola di Rienzo, 212 00192 Roma
Tel. +39 06 96727307
Fax +39 06 94443138
info@edilingua.it
www.edilingua.it

Deposito e Centro di distribuzione
Via Moroianni, 65 12133 Atene
Tel. +30 210 5733900
Fax +30 210 5758903

ISBN: 978-960-6632-14-3 (Libro + CD audio)

Ogni azione umana ha un impatto sull'ambiente. A Edilingua siamo convinti che il futuro del nostro Pianeta dipende anche da ognuno di noi. **"La Terra ha bisogno del tuo aiuto"** è una piccola ma costante campagna di sensibilizzazione rivolta agli studenti: ogni nostro libro vuole essere un invito alla riflessione, uno stimolo al risparmio energetico e alla riduzione delle emissioni di CO_2. Ulteriori informazioni sul nostro sito (in "chi siamo").

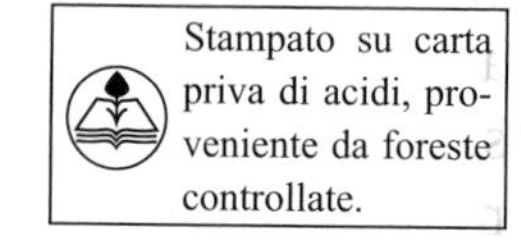

Hanno collaborato:
Antonio Bidetti, Miranda Alberti, Giuliana G. B. Attolini, Rosa Pipitone, Antonella Sartori

Illustrazioni: A. Boncompagni, Arezzo - S. Scurlis (Edilingua)
Progetto grafico: Edilingua

Cari studenti
Care studentesse,

finalmente ci ritroviamo per continuare il nostro affascinante e piacevole viaggio nella lingua, nella civiltà e nella cultura italiana.

Se già conoscete *Allegro 1,* non avrete nessun problema con la struttura di questo secondo volume. Se è la prima volta che viaggiate con *Allegro* ... non vi preoccupate perché la sua semplice struttura vi sarà subito chiara!

Allegro 2 - libro di testo si compone di:

- 12 unità;
- tra queste, 4 sono di ripasso (3ª, 6ª, 9ª e 12ª unità). Si tratta di unità strutturate con giochi, esercizi di ripasso e informazioni sull'Italia e gli italiani. Insomma, una finestra sull'Italia, la sua storia, la sua gente, i suoi luoghi, le sue città, la vita quotidiana;
- esercizi, da svolgere preferibilmente a casa;
- un glossario organizzato per unità;
- un approfondimento grammaticale di facile consultazione che vuole essere un completamento delle schede grammaticali che trovate alla fine di ogni unità;
- un CD.

Al termine di ogni unità trovate, dunque, oltre alla sintesi grammaticale, una breve ma utilissima scheda riassuntiva degli strumenti comunicativi incontrati durante la lezione.

Allegro, oltre ai dialoghi (introduttivi e non) e agli esercizi, contiene anche attività di ascolto e di lettura che hanno come obiettivo familiarizzare con la lingua e prepararvi pian piano all'incontro con l'Italia e gli italiani.

Allegro è non solo un percorso di studio della lingua italiana, ma anche un modo per conoscere meglio l'Italia e il suo sorprendente popolo. Quindi, tanti auguri e ... buon viaggio!

Qui in basso potete trovare espressioni che possono essere utili durante la lezione:

Indice

UNITÀ 1 Che piacere rivederti!

pag. 8

A Ma guarda che sorpresa!	descrivere l'aspetto fisico di una persona	l'articolo determinativo con le caratteristiche fisiche, la doppia negazione *non ... neanche*
B Ci siamo un po' persi di vista.	parlare dei cambiamenti nella vita	il *passato prossimo* dei verbi riflessivi
Lettura	articolo sul pittore *il Parmigianino*	
C Ho fatto amicizia con Paola.	descrivere il carattere e gli interessi di una persona	i pronomi indiretti
Ascolto	conversazione alla cassa del teatro	
D Vi vengo a prendere?	proporre di fare qualcosa insieme, darsi un appuntamento	i pronomi diretti

UNITÀ 2 Che bella casa!

pag. 18

A Abbiamo cambiato casa.	descrivere: la disposizione delle stanze, i lavori di ristrutturazione e il quartiere; parlare delle proprie capacità	i pronomi diretti con il *passato prossimo*, l'aggettivo *bello*
B Una casa tutta da vivere	parlare dell'arredamento di una casa	indicatori di luogo
C Centro o periferia?	parlare della vita in o fuori città, esporre un punto di vista	il *condizionale presente*, *ci* come avverbio di luogo
D Hit-parade delle città	parlare della qualità della vita in diverse città, fare una graduatoria	il superlativo assoluto, i numeri ordinali
Ascolto	conversazione sull'affitto di una casa	

UNITÀ 3 Ripasso

pag. 28

A Su e giù per le Alpi	gioco
B Cerchiamo casa insieme!	progetto in classe: cercare insieme una casa
C Ripetiamo un po'!	attività di ripasso
Italia & italiani	Ci vediamo più tardi! - Dove abitare? - Dalla Fiat alla Mole Antonelliana

UNITÀ 4 Come sto bene! pag. 32

A Non si fabbrica, si fa.	parlare di prodotti della cucina italiana e della loro produzione	*si* + 3ª persona singolare o plurale del verbo
B Cosa stai facendo di buono?	dire che cosa si sta facendo	*stare + gerundio*
C Gli gnocchi alla romana	spiegare come si prepara un piatto, scrivere una ricetta	*ci vuole/ci vogliono*
Ascolto	*Ci vuole un fisico bestiale* di Luca Carboni	
D Uno sport per tutti	parlare di vari sport	*basta/bastano* e *bisogna* + infinito, il comparativo: *più/meno ... di*
E Io sto bene quando ...	parlare delle preferenze personali e del proprio benessere	altre forme di comparazione dell'aggettivo: il superlativo relativo

UNITÀ 5 Qui prima c'era ... pag. 42

A Sei un tipo nostalgico?	esprimere la propria opinione e contrapporla ai punti di vista degli altri	i pronomi diretti e indiretti tonici, *anche* e *neanche*
B I Navigli milanesi	descrivere una città com'era una volta	l'*imperfetto* descrittivo
C Da bambina ci venivi spesso?	parlare di come si viveva e delle abitudini di una volta	l'*imperfetto* delle abitudini con indicatori di tempo
Lettura	lettera a Corrado Augias apparsa su *La Repubblica*	
D Un giorno senz'auto	chiedere qualcosa cortesemente, indicare oggetti	il *condizionale presente* per chiedere cortesemente qualcosa, posizione dei pronomi diretti e indiretti con un infinito, i dimostrativi *questo* e *quello*

UNITÀ 6 Ripasso pag. 52

A Un viaggio nel tempo	gioco
B Facciamo insieme un libro di cucina!	progetto in classe: fare insieme una raccolta di ricette
C Ripetiamo un po'!	attività di ripasso
Italia & italiani	Oggi in tavola: la bagna cauda - Milano ieri e oggi ... - Quelli della domenica

UNITÀ 7 Perché non ti informi?

pag. 56

A Vorrei fare il servizio civile.	chiedere il permesso e dare dei consigli	*ecco* + pronome diretto, l'*imperativo* (2ª persona singolare - *tu*)
B A tutela dei cittadini	parlare di esperienze professionali, descrivere scopi e settori di un'istituzione	gli aggettivi indefiniti *qualche* e *alcuni/-e*
Ascolto	conversazione sulla carriera	
C Attenda in linea.	fare una telefonata formale, esigere qualcosa	l'*imperativo* (3ª persona singolare - *Lei*)
D Messaggio ricevuto	stabilire delle regole, dare consigli	l'*imperativo* (2ª persona plurale - *voi*)

UNITÀ 8 Racconta un po'!

pag. 66

A Era un pacco con un fiocco rosa ...	raccontare e descrivere al passato	uso dell'*imperfetto* e del *passato prossimo*
B A te è piaciuto?	informarsi su un film, raccontarne la trama ed esprimere la propria opinione	il passato prossimo di *piacere*, i pronomi relativi *che* e *cui*
Ascolto	conversazione tra due donne su un'esperienza personale	
C Ho bisogno della prenotazione?	viaggiare in treno: chiedere informazioni, fare una prenotazione, comprare un biglietto	aver bisogno di: *metterci* e *mi serve/mi servono*
D Com'è andato il viaggio?	parlare di un contrattempo (spiacevole), mantenere viva una conversazione	*imperfetto* e *passato prossimo* per esprimere un'azione contemporanea o non

UNITÀ 9 Ripasso

pag. 76

A Giochiamo a filetto!	gioco
B Fondiamo insieme un'associazione!	progetto in classe: fondare insieme un'associazione
C Ripetiamo un po'!	attività di ripasso
Italia & italiani	I magnifici set - In treno o in barca attraverso i parchi - Dopo la scuola

UNITÀ 10 Andrà tutto bene!
pag. 80

A Mi basterà?	esprimere insicurezza, dubbi o paure, incoraggiare qualcuno	il *futuro semplice*
B Vado a vivere con Carla.	fare una telefonata informale, parlare di progetti futuri	le espressioni *pensare di ... /avere intenzione di ...*, l'imperativo (*tu, voi*) con i pronomi diretti e indiretti
Lettura	la poesia *Vieni presto* di Alberto Amoroso	
C Il sogno nel cassetto	parlare dei propri sogni, dei propri desideri e rifletterci sopra	il comparativo di maggioranza di *buono* e *bene* (*migliore* e *meglio*), *stare per* + infinito
D Ne prenda due prima di partire.	esprimere malessere e chiedere un consiglio in farmacia	l'imperativo (*Lei*) con i pronomi diretti e indiretti, il pronome *ne*

UNITÀ 11 Quanto sei bella, Roma!
pag. 90

A Tutte le strade portano a Roma.	in giro con la macchina: chiedere aiuto, consiglio e indicazioni	*far fare*, la negazione *non ... nessuno*, gli aggettivi indefiniti *tutto* e *ogni*, il *futuro semplice* per esprimere un'ipotesi
B Stranieri in Italia	parlare della vita in un paese straniero	il *passato prossimo* dei verbi modali
C Gli italiani nel mondo	parlare delle decisioni prese nella propria vita	il *trapassato prossimo*, *poco, molto, tanto* e *troppo*
Lettura	alcuni cittadini di Roma parlano della propria città	
Ascolto	*Arrivederci Roma* di Renato Rascel	

UNITÀ 12 Ripasso
pag. 100

A Vacanze romane	gioco
B Scriviamo insieme una guida turistica!	progetto in classe: scrivere insieme una guida turistica
C Ripetiamo un po'!	attività di ripasso
Italia & italiani	E non se ne vogliono andare. - Nel mio paese avevo studiato ... - Mamma Roma

Esercizi	pag. 104-151
Approfondimento grammaticale	pag. 152-171
Glossario per unità	pag. 172-202

UNITÀ 1

Che piacere rivederti!

Guardate le foto e completate.
Scegliete per ogni situazione la frase più adatta.

No, non è possibile. Ma chi si rivede!

Nonna, finalmente ... hai fatto buon viaggio?

Come no? Non hai visto i capelli grigi?

Sì, sono io. Ci conosciamo?

Ascoltate.
Confrontate le vostre risposte con i dialoghi registrati.
Secondo voi che relazione esiste tra queste persone?

A Ma guarda che sorpresa!

1 Ascoltate il dialogo.
Quand'è che Silvia ha incontrato Gigi l'ultima volta?

- ● Gigi?!
- ○ No, non è possibile! Silvia!
- ● Ma guarda che sorpresa! Da quanto tempo non ci vediamo?
- ○ Eh, quanti anni sono? Ma almeno dieci anni ...
- ● Così tanto? Mamma mia come passa il tempo!
- ○ Davvero! Però non sei cambiata per niente. Hai sempre i capelli lunghi, sei sempre magra ... sembri ancora una ragazzina.
- ● Grazie per il complimento. Anche tu però, non sei cambiato molto ...
- ○ Come no? Non hai visto i capelli grigi? E poi non ho neanche più la barba ...
- ● Oh, è vero! Non hai più la barba. Però stai bene anche così, solo con i baffi ...

Che cosa potete raccontare di Silvia? E di Gigi?

2 Completate.
Rileggete il dialogo e aggiungete le parole mancanti.

Silvia non è cambiata per niente.	Gigi è cambiato un po'.
È sempre magra e ha	Ha i capelli grigi e non ha più ....

Quali differenze notate rispetto alla vostra lingua?

3 Identificate le persone.
In questa foto c'è Gigi con altri tre uomini. Lo riconoscete?
Leggete adesso le descrizioni degli altri tre e cercate di identificare anche loro.

Claudio è quasi calvo, ha gli occhi chiari, i baffi e la barba. È alto e non è né grasso né magro.

Sandro non è molto alto ed è piuttosto magro, ha i capelli corti e lisci e il viso lungo.

Luca ha i capelli neri, ricci e piuttosto lunghi, gli occhi scuri, la fronte alta ed è alto e magro.

4 Lavorate in gruppi.
Pensate ad una persona famosa e descrivete il suo aspetto agli altri.
Chi indovina chi è?

5 Fate conversazione.

Lavorate in coppia. Mostrate al vostro compagno un documento di riconoscimento (patente, carta d'identità ecc.) con una vostra foto piuttosto vecchia. Siete cambiati da allora?

ESEMPIO Non hai più i capelli lunghi, hai sempre ...

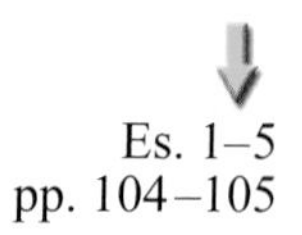
Es. 1–5
pp. 104–105

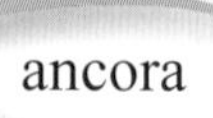

sempre

B Ci siamo un po' persi di vista.

1 Ascoltate.

Ascoltate come continua la conversazione tra Silvia e Gigi. Di chi racconta Silvia?

- ● Allora, Gigi, che fai di bello adesso? Abiti ancora qui?
- ○ No, mi sono trasferito a Torino. Adesso sono venuto a trovare i miei e mi fermo per un po'. E tu? Ti sei poi sposata con...
- ● ... Alfredo. No, ci siamo lasciati già da un pezzo.
- ○ Ah, ho capito. E vedi ancora qualcuno del nostro gruppo di amici?
- ● No, veramente ci siamo un po' persi di vista. Alcuni si sono trasferiti, altri si sono sposati ... Però, ora che ci penso, sai chi ho incontrato proprio la settimana scorsa? Federica. Ti ricordi di lei, no?
- ○ Come no, Federica! Il mio grande amore del liceo.
- ● Sì, ci siamo incontrate proprio per caso alla Feltrinelli.
- ○ E come sta?
- ● Benissimo. Ha un bambino di tre anni e da poco si è messa in proprio. Ha aperto uno studio in centro.
- ○ Che bello! Sono contento per lei!

2 Osservate e completate.

Rileggete il dialogo e inserite le forme mancanti.

trasferirsi	
....	
ti sei	trasferito/-a
si è	
ci siamo	
vi siete	trasferiti/-e
....	

Vedi ancora qualcuno del nostro gruppo?
No, ci siamo persi di vista. Alcuni si sono trasferiti, altri si sono sposati. Però la settimana scorsa ho incontrato Federica.

Come si forma il passato prossimo dei verbi riflessivi?

3 Lavorate in gruppi.

Che cosa è cambiato nella vita di Silvia, Gigi e Federica dall'ultimo incontro ad oggi? Cos'è cambiato nella vostra vita negli ultimi anni?

4 Scrivete una storia.
Lavorate in coppia. Guardate le foto di queste due persone. Romeo e Amerigo sono molto amici e hanno vissuto per un certo periodo nella stessa casa. Immaginate la loro storia, come si sono conosciuti, che cosa hanno fatto insieme e cosa fanno adesso.

Lettura

Es. 6–8
pp. 105–106

1 Leggete.
Guardate i due quadri e leggete il testo.
Chi è raffigurato nei due ritratti?

FRANCESCO MAZZOLA, detto il Parmigianino, nasce a Parma nel 1503 e deve alla sua città natale lo pseudonimo con cui diventa famoso. È un pittore, bello, elegante, amante della poesia e della bellezza assoluta, concepita però non in modo statico ma in continuo movimento. È raffinato e intellettuale, sempre alla ricerca della perfezione fisica. A Roma si entusiasma per la pittura di Michelangelo e Raffaello, i grandi del Cinquecento, frequenta gli ambienti del potere e sperimenta nuove tecniche, si appassiona all'esoterismo e alla musica. Lo rovinano la sfortuna, gli errori e l'ossessione per l'alchimia. Il giovane grazioso ed elegante raffigurato allo specchio a trentacinque anni è già diventato un vecchio dalla faccia segnata, la barba incolta, i capelli grigi. è il Parmigianino stesso a dimostrarci la trasformazione e la sua decadenza nell'«Autoritratto con berretto rosso».
Nel 1540 si ammala e muore in pochi giorni, a soli 37 anni, proprio come Raffaello.

da: Oggi

2 Rileggete.
Sottolineate gli aggettivi che si riferiscono al Parmigianino.
Quali sono adatti a descrivere il primo ritratto, quali possono illustrare il secondo?

3 Lavorate in gruppi.
Descrivete i due ritratti e le loro differenze.

C Ho fatto amicizia con Paola.

1 Leggete l'e-mail.
Come si trova Grazia a Torino quando scrive a Francesca?

Cara Francesca, ti scrivo brevemente così ti do le ultime notizie. Qui a Torino mi sento un po' più a casa, finalmente. Sono uscita qualche volta con Giacomo, un mio collega di qui. È un ragazzo molto aperto e sempre di buon umore e insieme siamo andati un po' in giro per la città. Veramente sono stati soprattutto giri tra caffè e pasticcerie, con grandi scorpacciate di gianduiotti e dolci! Ho raccontato a Giacomo della mia passione per il teatro e gli ho raccontato anche del nostro corso di recitazione ... e sai cosa ho scoperto? Giacomo nel tempo libero recita in una compagnia di attori dilettanti! Insomma ... gli ho chiesto di andare insieme alle prove e ci sono andata mercoledì. È un gruppo di persone molto alla mano e mi sono sentita subito a mio agio. In particolare ho fatto amicizia con Paola, una ragazza un po' timida ma molto disponibile che ha vissuto per un periodo a Londra come me. Abbiamo scoperto di avere diverse cose in comune. Ieri le ho telefonato e le ho proposto di fare qualcosa insieme domenica. Come vedi la crisi dei primi mesi è passata. E tu come stai? Quando mi scrivi?
Un abbraccio

Grazia

Chi sono i nuovi amici di Grazia? Che interessi hanno?

2 Prendete appunti.
Rileggete la mail e raccogliete le espressioni per descrivere il carattere di qualcuno. Potete aggiungere qualcosa a quello che c'è nel testo?

....
....
....
....
....

3 Descrivete.
Scegliete in plenum alcuni personaggi famosi e poi a coppie attribuite ad ognuno tre aggettivi, scegliendo anche tra i seguenti.

arrogante	affascinante	noioso	antipatico
estroverso	introverso	sensibile	energico

4 Osservate e completate.
Ricercate nel testo i pronomi che mancano.

io	mi
tu	ti
lui, lei, Lei	gli, le, Le
noi	ci
voi	vi
loro	gli

Ho raccontato **a Giacomo** della mia passione per il teatro e **gli** ho raccontato anche del nostro corso di recitazione.

ho chiesto a Giacomo → .... ho chiesto

ho telefonato a Paola → .... ho telefonato

5 **Rileggete e sottolineate.**
Nel testo ci sono sette pronomi indiretti.
Sottolineateli e chiarite insieme al vostro compagno a chi si riferiscono.

6 **Rispondete.**
- Come fate a creare un contatto con una collega nuova un po' timida?
- Come cercate di migliorare i rapporti con dei vicini difficili?
- Come fate a riprendere contatto con un amico dopo una brutta discussione?

Ecco alcuni verbi utili:

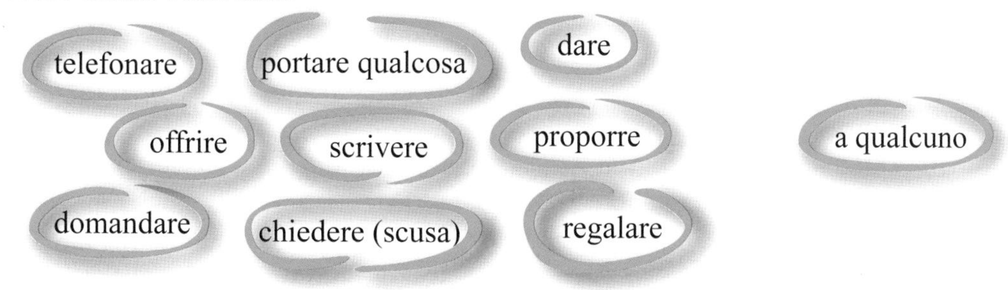

Es. 9–13
pp. 107–108

ESEMPIO Dopo una brutta discussione con un amico gli telefono e gli chiedo scusa ...

Ascolto

1 **Ascoltate e mettete una crocetta.**

La signora vuole
- [ ] informarsi sugli orari degli spettacoli.
- [ ] acquistare i biglietti per uno spettacolo.
- [ ] richiedere il programma del teatro.

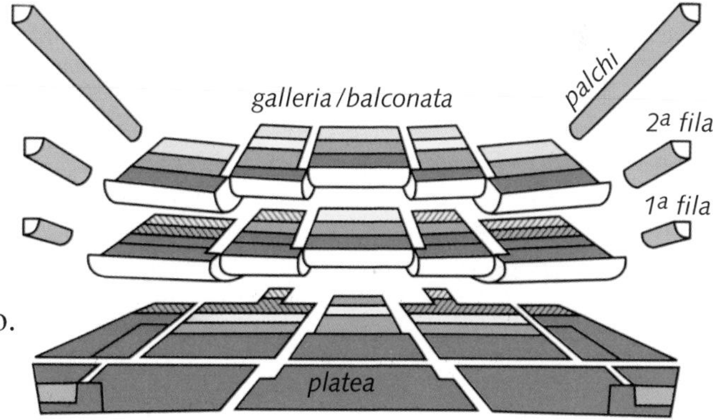

2 **Riascoltate.**
Immaginate di dover **inserire** i dati nel computer per stampare
i biglietti e indicate i dati che vi interessano.

spettacolo	data	orario	posto	biglietti	pagamento
opera ✔	12 ottobre	matinée	palco	omaggio	contanti
concerto	16 ottobre	pomeridiana	galleria	ridotto	carta Bancomat
balletto	18 ottobre	serale	platea	normale	carta di credito

3 **Ascoltate e abbinate.**
Tracciate una linea per collegare le frasi dell'impiegato e della signora.

Mi dispiace, è tutto esaurito ...
Sono due rappresentazioni serali alle 20.30.
Sono 42 euro, 38 se lei ha qualche forma di riduzione.
Ecco a lei i biglietti.

Benissimo, benissimo.
Grazie.
Ah, che rabbia.
No, purtroppo no.

D Vi vengo a prendere?

1  **Ascoltate.**

Si incontrano gli amici stasera?

- ● Sì?
- ❍ Pronto, Grazia?
- ● Oh, ciao, Giacomo.
- ❍ Senti, dove sei?
- ● Sono qui in centro, con Paola.
- ❍ E che cosa fate? Vi va di andare a bere qualcosa?
- ● Beh, noi veramente abbiamo appena deciso di andare al cinema ...
- ❍ Ah, al cinema. E a vedere cosa?
- ● All'*Alfieri* danno l'ultimo film di Tornatore. Perché non vieni anche tu?
- ❍ Mah, in fondo ... perché no? E a che ora incomincia?
- ● Alle otto e mezzo. Magari andiamo a bere qualcosa dopo.
- ❍ Sì, buona idea. Poi vi posso accompagnare a casa io. Ma dove siete adesso di preciso? Vi vengo a prendere da qualche parte?
- ● No, non c'è bisogno. Ti aspettiamo davanti al cinema tra una mezz'ora.
- ❍ Perfetto. A dopo.

Come passano la serata gli amici?

2 **Completate.**

Inserite i pronomi che mancano.

io	mi
tu	ti
lui	lo
lei, Lei	la, La
noi	ci
voi	vi
loro	li / le

Dove mi aspettate?
.... aspettiamo davanti al cinema.

Chi ci accompagna a casa?
.... posso accompagnare io.

3 **Prendete appunti.**

Ricercate nel testo le espressioni utili per:

fare una proposta	accettare	rifiutare
....	....	....
....	....	....
....	....	....
....	....	....

4  **Ascoltate.**

Nei quattro brevi dialoghi che seguono alcune persone ricevono delle proposte o degli inviti. Li accettano o no?

5 Lavorate in coppia.
Guardate il programma delle manifestazioni torinesi. Mettetevi d'accordo con il vostro vicino su dove trascorrere un pomeriggio o una serata. Fissate anche il giorno, l'ora e il luogo dell'incontro.

Torino danza in strada

Quattro spettacoli *en plein air* nelle piazze del capoluogo piemontese. La città di Torino danza sabato 22 tra piazza Carignano e piazza Carlo Alberto, dalle 15.30 alle 19.30. Gli artisti danzano, ciascuno con il proprio stile (contemporaneo, neoclassico, afro, tango, jazz, hip-hop, ecc.), su un brano del gruppo *Feel Good Production* di Alba.

Antico in musica

Mercatino di antichità con intermezzi musicali. Il mercato si tiene la quarta domenica di ogni mese.
Domenica 23.02, dalle 09:00 alle 19:00
Piazza Giuseppe Cesare Abba, 10154 Torino

Musical al Teatro Coccia

Trenta artisti della Compagnia Rock Opera e un'intera orchestra dal vivo. Il musical si ispira alla vicenda biblica di Giuseppe e va in scena sabato 21 e domenica 22 dicembre alle ore 21.00. «Joseph e la strabiliante tunica dei sogni in technicolor» è frutto della collaborazione tra Andrew Lloyd Webber e Tim Rice, i due autori di capolavori come «Jesus Christ Superstar» e «Evita».

Museo nazionale del Cinema

All'interno della Mole Antonelliana il museo è articolato su cinque livelli:
- Archeologia del cinema
- La macchina del cinema
- La collezione dei manifesti
- Le videoinstallazioni
- La grande sala del Tempio

Dal martedì al venerdì dalle 09:00 alle 20:00,
sabato dalle 09:00 alle 23:00,
domenica dalle 09:00 alle 20:00

Al Bicerin

Locale di grande valore storico, si è conservato esattamente come al momento della sua nascita nel 1763. Qui è nato il «bicerin», la tipica bevanda torinese, già nell'Ottocento la più consumata in città durante la mattinata: il segreto del suo successo è ancora oggi il sapiente dosaggio di cioccolata, caffè e latte mescolati sul momento.
Piazza della Consolata 5, 10122 Torino
Dal lunedì alla domenica dalle 10:00 alle 20:00

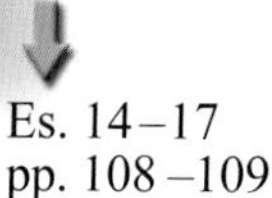
Es. 14–17
pp. 108–109

 Ricapitoliamo!

Lavorate in coppia.
Due di queste persone si incontrano dopo tanti anni.
Decidete insieme quali, prendete la loro identità e fate il dialogo.

Si dice così

Incontrare una persona dopo molto tempo

Ma guarda che sorpresa!
Da quanto tempo non ci vediamo?
Che bello rivederti!
Finalmente!
No, non è possibile. Chi si rivede!
Come passa il tempo!

Descrivere l'aspetto di una persona

Ha sempre i capelli lunghi.
Non ha più la barba.

Descrivere il carattere di qualcuno

Paola è una ragazza un po' timida.
Giacomo è un ragazzo molto aperto.
È sempre di buon umore.

Fare complimenti

Però non sei cambiato molto/per niente. Sembri ancora una ragazzina.	Grazie per il complimento.

Parlare di amici in comune

Vedi ancora qualcuno del gruppo di amici?	Veramente ci siamo un po' persi di vista. Ho incontrato per caso Federica.

Darsi appuntamento

Vi va di andare a bere qualcosa?	Sì, buona idea. Veramente noi abbiamo deciso di andare al cinema.
Perché non vieni anche tu?	Mah, in fondo ... perché no?
Vi vengo a prendere?	No, non c'è bisogno.

1. Articolo determinativo: uso

Silvia ha **i** capelli lunghi.
Gigi ha **i** baffi e porta **gli** occhiali.

2. Doppia negazione → 13

Gigi **non** ha **neanche** più la barba.

3. Verbi riflessivi: *passato prossimo* → 21, 34

trasferirsi

io	mi sono	trasferit**o/-a**
tu	ti sei	
lui, lei, Lei	si è	
noi	ci siamo	trasferit**i/-e**
voi	vi siete	
loro	si sono	

4. Complemento oggetto diretto e indiretto → 32

	Paolo.
Scrivo **a**	un amico.
Ho incontrato	Silvia.
	tuo fratello.

5. I pronomi indiretti → 5, 6

Grazia (non)	**mi** **ti** **gli, le, Le** **ci** **vi** **gli**	ha scritto.

6. I pronomi diretti → 5, 6

Paola (non)	**mi** **ti** **lo, la, La** **ci** **vi** **li, le**	aspetta.

note

Che bella casa!

Osservate.
Guardate l'illustrazione. A cosa vi fanno pensare le immagini?

Descrivete.
Che cosa fanno queste persone?
Aiutatevi con le seguenti espressioni.

- cambiare la moquette
- mettere la carta da parati
- appendere una lampada
- imbiancare le pareti
- montare un mobile

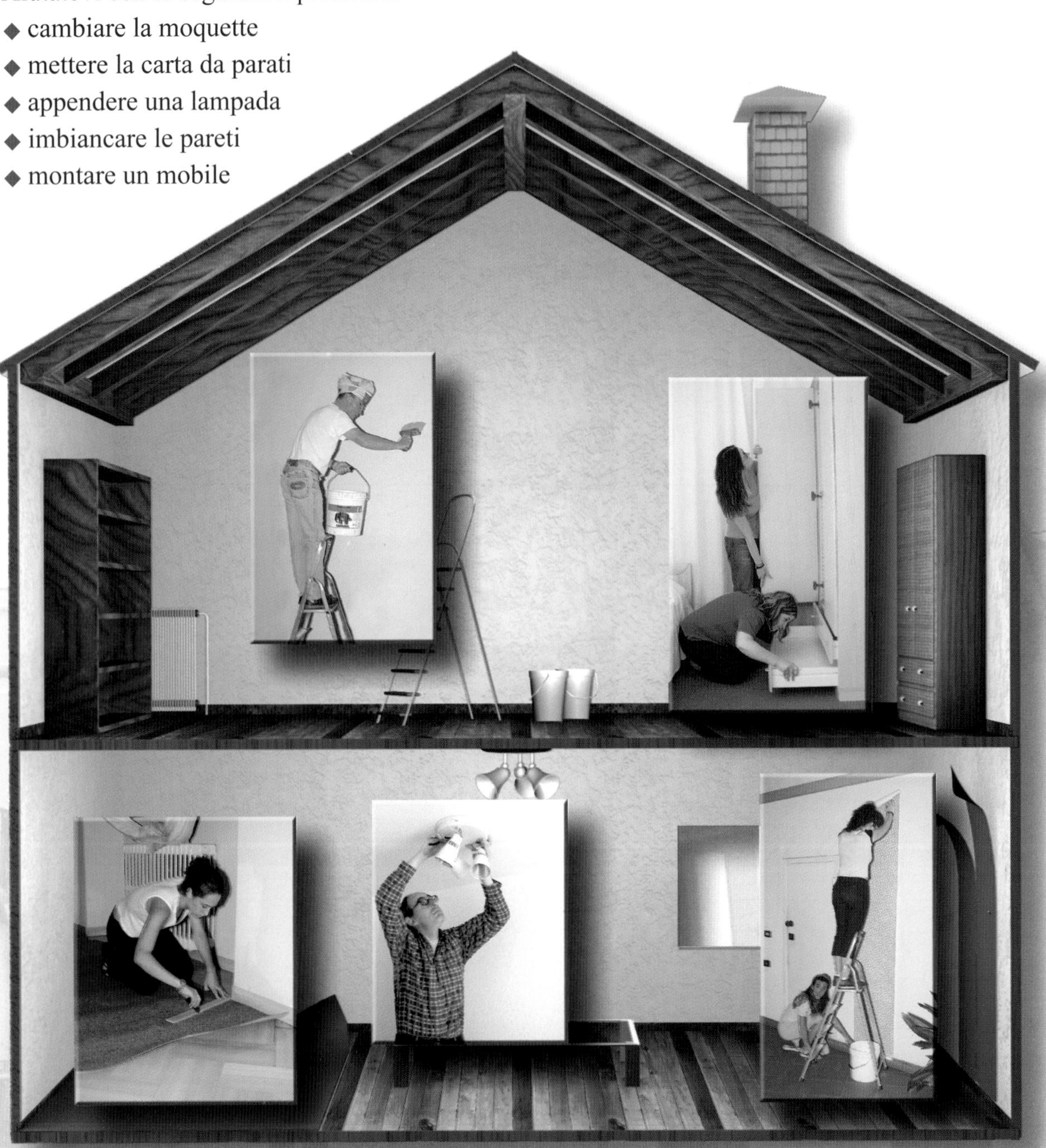

Quali di questi lavori fate da soli?
Per quali lavori invece chiamate l'imbianchino, l'elettricista, l'idraulico o il falegname?

A Abbiamo cambiato casa.

1 Leggete gli annunci.
Quali sono le differenze tra gli appartamenti?

AFFITTASI ZONA MAZZINI
55 mq, ultimo piano, 2 vani, soggiorno luminoso con angolo cottura, bagno, balcone, cantina, riscaldamento centralizzato, ascensore.
Stabile di buon livello, zona vicina a servizi e fermata bus. Arredato.

AFFITTASI ZONA MAZZINI
circa 75 mq, pianoterra, 3 vani, soggiorno con angolo cottura, bagno, terrazzo, cantina, riscaldamento autonomo, ascensore, piscina.
Vicino ai negozi di via Bellaria, al PAM e alla fermata dell'autobus.

AFFITTASI ZONA MAZZINI
107 mq, quinto piano, 3 vani, soggiorno, cucina abitabile, 2 bagni, balcone, cantina, riscaldamento centralizzato, ascensore, panoramico.
Immobile situato in una zona tranquilla, ottimamente servito da mezzi pubblici e servizi commerciali.

2 Ascoltate.
Ascoltate il dialogo e prendete nota di una o più caratteristiche dell'appartamento di Martina e Nicola.

● Pronto?
○ Ciao Enrica, sono Martina ...
● Martina! Come stai?
○ Eh, insomma ... scusa se non mi sono fatta più sentire, ma abbiamo cambiato casa e così abbiamo avuto un sacco da fare.
● Ah! Davvero? E dove state adesso?
○ Sempre nello stesso quartiere, però adesso abbiamo proprio un bell'appartamento.
● Ed è più grande?
○ Sì, sì, c'è un grande soggiorno, con molta luce e con un bel balcone. E poi ci sono due camere, lo studio e una bella cucina spaziosa.
● E avete dovuto fare dei lavori?
○ Sì, ma in parte li abbiamo fatti da soli. Nicola per fortuna sa fare di tutto in casa. Ha imbiancato, ha messo addirittura le piastrelle nel bagno ...
● Allora avete risparmiato un bel po'.
○ Sì, sì, però il parquet l'ha messo la ditta.
● E adesso è tutto a posto?
○ Più o meno. Il trasloco è fatto. Ora dobbiamo ancora montare qualche mobile, non abbiamo ancora appeso i quadri, le tende non le abbiamo ancora comprate ...
● Ma guarda, per le tende posso darti una mano io, lo sai, io so cucire ...

A quale annuncio hanno risposto Martina e Nicola?

3 Lavorate in gruppi.
Volete mettervi in proprio?
Che cosa sa fare ciascuno di voi?
Scoprite i vostri talenti e fondate una piccola impresa. Presentate poi la vostra ditta agli altri.

Nicola sa fare di tutto in casa.

Enrica sa cucire.

4 Osservate.
Rileggete il dialogo e inserite le parole mancanti.

Chi ha fatto i lavori in casa?
In parte li abbiamo .... da soli. Il parquet l'ha .... la ditta, la cucina l'ha montata mio padre e le piastrelle le ha .... Nicola.

Che cosa succede quando il pronome diretto viene usato con il passato prossimo?

5 **Lavorate in coppia.**
Chiedete al vostro compagno chi ha fatto i seguenti lavori a casa sua.

mettere	il parquet le piastrelle la moquette	appendere	le tende i lampadari i quadri
montare	la cucina i mobili	imbiancare	le pareti il soggiorno

6 **Rileggete il dialogo e completate.**
Martina e Nicola hanno:

un .... appartamento — dei bei mobili — una .... cucina — delle belle tende
un .... balcone — dei begli specchi
un bello studio

E com'è la vostra casa? Che cosa c'è di bello?

7 **Lavorate in coppia.**
Che cosa potete regalare a:
- una coppia che si sposa?
- un ragazzo che mette su casa per la prima volta?
- un'amica che ha preso una casa più grande?

Prendete spunto anche dai seguenti disegni.

ESEMPIO Alla mia amica posso regalare un bel tappeto.

8 **Lavorate in coppia.**
Leggete l'annuncio e fate un dialogo tra proprietario ed eventuale inquilino: uno di voi prepara una lista con le informazioni da dare, l'altro ne prepara una con le domande da fare.

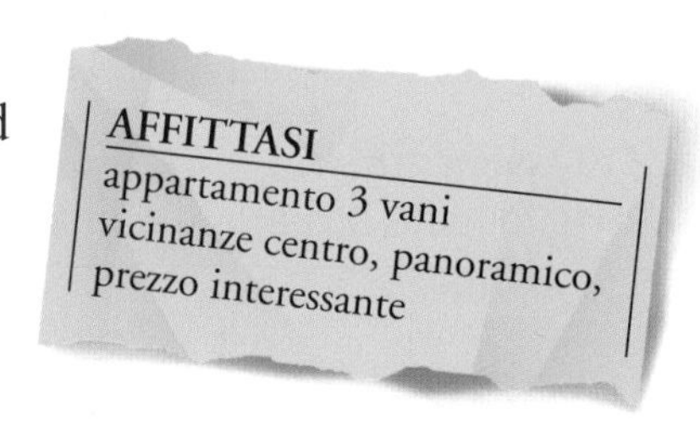

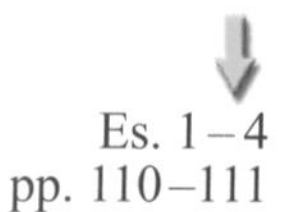
Es. 1–4
pp. 110–111

9 **Scrivete.**
Volete scambiare per due mesi la vostra casa con una casa in Italia.
Scrivete l'annuncio per affittarla.

B Una casa tutta da vivere

1 Osservate e leggete.

Leggete le descrizioni e inserite le parole evidenziate accanto agli oggetti corrispondenti.

Nel luminoso soggiorno il «Tavolo con ruote» di Gae Aulenti, un **divano** bianco e **poltroncine** antiche in legno.

Sul tappeto la **lampada** in carta, tra i ripiani della **libreria** c'è lo spazio per la TV.

Nel centro di Milano una casa tutta da vivere

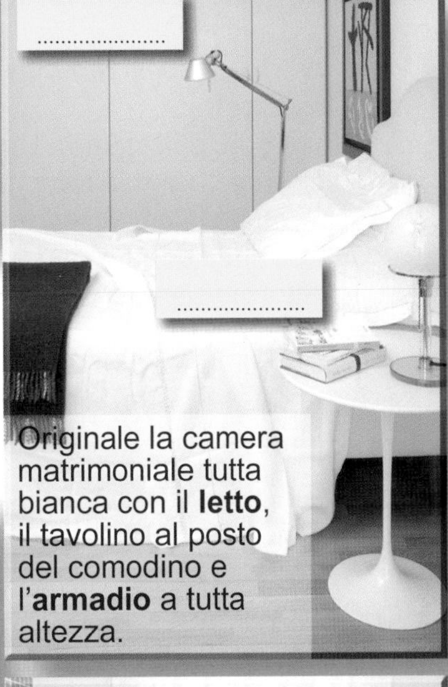

Originale la camera matrimoniale tutta bianca con il **letto**, il tavolino al posto del comodino e l'**armadio** a tutta altezza.

Funzionale e moderna la grande cucina: al centro il **lavello** e l'angolo cottura con forno e **fornelli**. Accanto c'è il tavolo con le **sedie**.

L'ingresso della casa con la grande parete arancione è illuminato da una lampada a soffitto. Sopra la **panca** dell'800 un bel **quadro**.

Il bagno tradizionale, con bidet e WC a sinistra e **lavandino** a destra, ma senza vasca da bagno. La doccia è nascosta dietro la **tenda** bianca.

Quale ambiente di questa casa preferite? Perché? Quali oggetti vi piacciono particolarmente?

da: Brava Casa

2 **Lavorate in piccoli gruppi.**
Rileggete le descrizioni di pagina 21 e sottolineate gli aggettivi.
Ne conoscete altri per descrivere la casa e l'arredamento?
Voi che tipo di arredamento preferite?

3 **Completate.**
Riguardate le foto della pagina precedente e completate lo specchietto.

Dov'è	la TV?	.... i ripiani.
	la lampada?	.... tappeto.
	il quadro?	.... la panca.
	la doccia?	.... la tenda.

Ricordate altre espressioni per indicare la posizione?

4 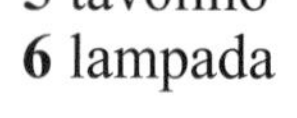 **Ascoltate.**
Il signore e la signora Bruni fanno dei progetti per la loro nuova casa. Ascoltate la conversazione, guardate la piantina e indicate dove vogliono disporre i seguenti mobili.

1 tavolo da pranzo
2 divano
3 libreria
4 televisore
5 tavolino
6 lampada

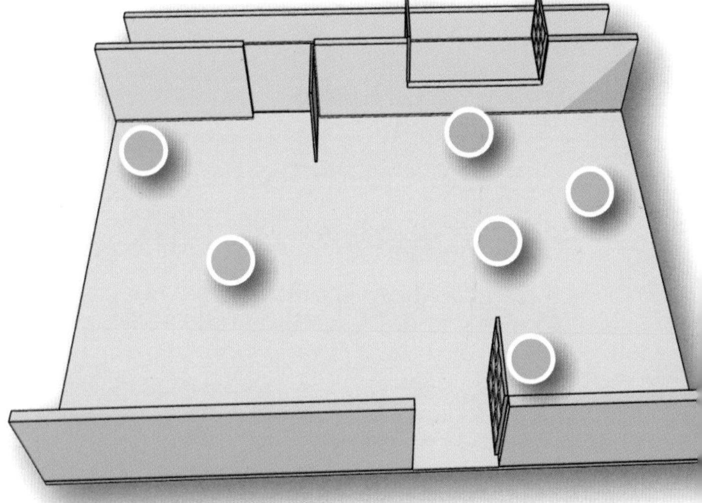

5 **Cercate le differenze.**
Lavorate in coppia. Guardate le illustrazioni e cercate le differenze.

6 **Lavorate in piccoli gruppi.**
In quale angolo o stanza della vostra casa vi trovate particolarmente bene?
E come è? Raccontate.

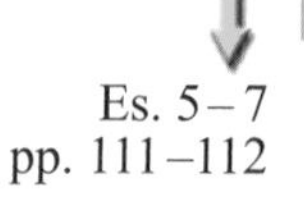
Es. 5–7
pp. 111–112

C Centro o periferia?

1 Ascoltate.
Quali servizi ci sono nella zona in cui abita Paolo?

● Però, che bel fresco che c'è qui da te, Paolo ...
○ Ah sì, davvero. Questo è uno dei motivi per cui sto tanto volentieri qui.
● Beh, su questo hai ragione. Però io non so se mi piacerebbe stare in periferia. Anche se questo è un bel quartiere. Non mi sentirei a mio agio, avrei l'impressione di essere un po' tagliato fuori.
○ Ma lo sai, Cesare, anch'io ho sempre abitato in centro. Ora però non ci tornerei per tutto l'oro del mondo.
● Ma non ti manca la città?
○ Assolutamente no. Qui c'è tutto. C'è un centro commerciale a pochi passi, c'è un distaccamento della biblioteca comunale, ci sono addirittura due cinema.
● Sì, però se dopo cena ti viene voglia di fare due passi in centro?
○ Ma, sai, io in città ci lavoro e la sera non ci torno volentieri. E comunque se proprio voglio andare in centro, ho la fermata dell'autobus a cento metri da casa.
● Beh, contento tu ... Io non so se potrei. Sono troppo abituato ai ritmi cittadini. Mi potrebbe convincere solo ...
○ ... un grande garage come il mio che ti risparmia di dover cercare un parcheggio ogni sera per venti minuti!
● Sta' zitto che hai ragione! A volte la sera c'è da diventar matti!

Quali sono, secondo Paolo, i vantaggi della periferia?

2 Sottolineate.
Rileggete il testo e sottolineate le frasi che esprimono ipotesi o possibilità.

3 Completate.
Completate con le forme del condizionale dei verbi che avete incontrato nel dialogo.

tornare
tornerei torneresti tornerebbe torneremmo tornereste tornerebbero

essere → sarei
avere → ....
sentire → ....
potere → ....
piacere → ....

Ti piacerebbe abitare in periferia?
No, sono troppo abituato ai ritmi cittadini. Non mi sentirei a mio agio, avrei l'impressione di essere tagliato fuori.

Vi ricordate di *vorrei*?
Qual è la forma dell'infinito?

4 Completate.
Inserite negli spazi le forme verbali appropriate del condizionale.

Io mi .... (volere) proprio trasferire in campagna. Mi .... (piacere) molto cambiare completamente ritmo di vita. .... (potere) finalmente stare più all'aria aperta a contatto con la natura. I miei figli .... (essere) anche d'accordo, così finalmente .... (potere) avere un cane. Ma mio marito non .... (lasciare) mai la città, anche se si lamenta sempre per i rumori.

5 **Completate.**

Ho sempre abitato in centro però ora non ...... tornerei.

In città ...... lavoro e la sera non ...... torno volentieri.

6 **Lavorate in gruppi.**
Fate un elenco dei servizi, negozi e possibilità che offre il vostro quartiere. Che cosa utilizzate? Dove andate spesso? Dove non andate mai? Con quali mezzi vi spostate di solito?

7 **Lavorate in coppia.**
Guardate la foto e immaginate di essere proprietari di questo casolare. Che cosa fareste? Lo ristrutturereste? Lo vendereste? O avete altre idee?

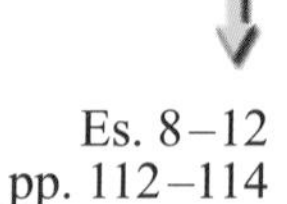

Es. 8–12
pp. 112–114

D Hit-parade delle città

1  **Leggete e sottolineate.**
Quali fattori sono stati valutati per fare la classifica delle città?

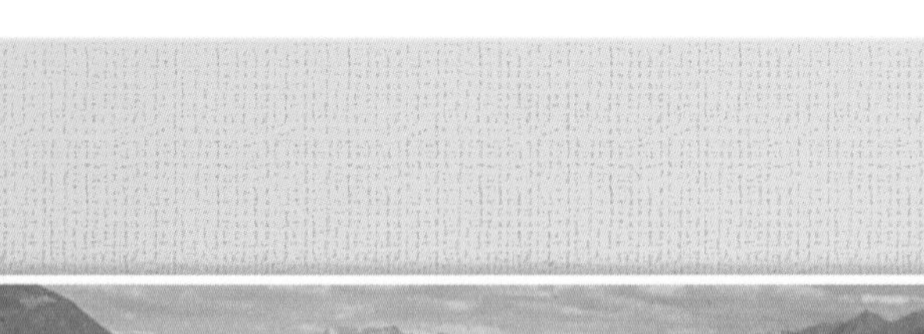

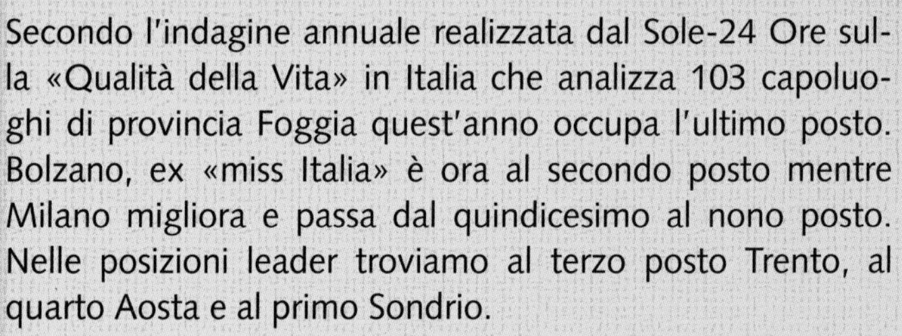

Qualità della vita:

prima Sondrio, ultima Foggia

Secondo l'indagine annuale realizzata dal Sole-24 Ore sulla «Qualità della Vita» in Italia che analizza 103 capoluoghi di provincia Foggia quest'anno occupa l'ultimo posto. Bolzano, ex «miss Italia» è ora al secondo posto mentre Milano migliora e passa dal quindicesimo al nono posto. Nelle posizioni leader troviamo al terzo posto Trento, al quarto Aosta e al primo Sondrio.
Diventare campione è difficilissimo. Bisogna ottenere la miglior media in sei aree di valutazione: tenore di vita, affari e lavoro, servizi e ambiente, sicurezza, popolazione e, infine, tempo libero. Sondrio stravince in particolare nelle categorie sicurezza, affari e lavoro, servizi e ambiente.
Primo ingrediente di una buona «qualità della vita» è un'occupazione sicura e ben retribuita. A Sondrio, infatti, la disoccupazione è limitata al 3 % e il reddito pro capite è altissimo. E poi i servizi funzionano, c'è pochissima criminalità e l'aria è buona.
Foggia è ultima, bocciata soprattutto in campo economico. Agli ultimi posti si trovano anche tutte le province della Puglia (escluso Lecce) e molte province siciliane. La prima provincia del Sud in graduatoria è L'Aquila, al quarantesimo posto. Anche molte province dell'Emilia-Romagna hanno perso punti, soprattutto nei settori ambiente e sicurezza.

2 Completetate.

Diventare campioni è		difficile	difficil........
Il reddito pro capite è		alto	alt........
C'è .... criminalità.		poca	poch........

3 Riformulate.
Sostituite in questo breve testo su Milano alcune delle forme evidenziate con dei superlativi assoluti.

Milano è una città molto ricca, il reddito pro capite è molto alto e i servizi funzionano molto bene. Milano ha però degli aspetti negativi: non è una città molto sicura e ha un tasso d'inquinamento estremamente elevato.

4 Completate.
Completate con gli aggettivi e le città adatti.

1° *primo* posto: *Sondrio*
2° .... posto: ....
3° .... posto: ....
4° .... posto: ....
9° .... posto: ....
40° .... posto: ....

5 Discutete in coppia.
Assegnate alla vostra città un punteggio da 0 a 10 in relazione ai seguenti fattori.

☐ tenore di vita
☐ ambiente
☐ affari e lavoro
☐ servizi
☐ sicurezza
☐ tempo libero

6 Lavorate in gruppi.
Secondo voi quali sono le città del vostro paese che possono occupare i primi 5 posti della graduatoria? Confrontate i vostri risultati in plenum.

Es. 13–15
pp. 114–115

Ascolto

1 Ascoltate e rispondete.
A chi telefona la signora?

2 Riascoltate.

Mettete una crocetta sulle caselle opportune. Sono possibili più soluzioni.

La signora cerca un appartamento
☐ per due settimane.
☐ per due persone.
☐ di tre vani.
☐ con un divano letto.

L'impiegato le propone un appartamento
☐ di due vani.
☐ di tre vani con giardino.
☐ in una zona tranquilla.
☐ a pochi minuti dal centro.

L'appartamento costa 625 euro
☐ per tutto il periodo. ☐ per una settimana. ☐ tutto compreso.

Ricapitoliamo!

Osservate le foto. Dove si potrebbero trovare queste case? Chi ci potrebbe abitare? Come sono arredate, secondo voi?

Si dice così

Rispondere al telefono

Pronto? | Ciao Enrica, sono Martina.

Scusarsi e motivare un silenzio

Scusa se non mi sono fatta più sentire, ma ...

Offrire un aiuto

Posso darti una mano io.

Esprimere una capacità / un'abilità

Nicola sa fare di tutto in casa.
Sai, io so cucire.

Condividere un'opinione

Ah sì, davvero.
Su questo hai ragione.

Esprimere la propria posizione / una sensazione / una supposizione

Non ci tornerei ...
Non mi sentirei a mio agio.
Avrei l'impressione di ...

Esprimere dubbio

Non so se mi piacerebbe stare ...
Non so se potrei ...

Esprimere sorpresa

Ah! Davvero?

1. I pronomi diretti con il *passato prossimo* → 5, 33

note

Chi ha messo **il** parquet? **L'**ha mess**o** la ditta.
La cucina **l'**ha montat**a** Nicola.
I lavori **li** abbiamo fatt**i** da soli.
Le tende non **le** ho ancora comprat**e**.

2. L'aggettivo *bello* → 1

un **bel** balcone	dei **bei** mobili
un **bell'**orologio	dei **begli** alberghi
un **bello** studio	dei **begli** specchi
una **bella** cucina	delle **belle** tende

3. Il *condizionale presente*: formazione → 27, 34

	cambiare	scrivere	sentire
io	cambi**erei**	scriv**erei**	sent**irei**
tu	cambi**eresti**	scriv**eresti**	sent**iresti**
lui, lei, Lei	cambi**erebbe**	scriv**erebbe**	sent**irebbe**
noi	cambi**eremmo**	scriv**eremmo**	sent**iremmo**
voi	cambi**ereste**	scriv**ereste**	sent**ireste**
loro	cambi**erebbero**	scriv**erebbero**	sent**irebbero**

4. *Ci* come avverbio di luogo → 7

Ho sempre abitato **in centro**
però non **ci** tornerei.
In città ci lavoro.

5. Il superlativo assoluto → 3

Diventare campione è difficil**issimo**.
Sondrio è una città sicur**issima**.

6. I numeri ordinali → 30

1° primo	6° sesto
2° secondo	7° settimo
3° terzo	8° ottavo
4° quarto	9° nono
5° quinto	10° decimo

UNITÀ

3 Ripasso

A Su e giù per le Alpi

1 Formate piccoli gruppi e ... buon divertimento!

Ogni gruppo riceve un dado e ogni studente una pedina.
La casella di partenza e di arrivo è quella del Brennero.

Quest'estate passate le vacanze sulle Alpi italiane per andare a trovare degli amici, per fare trekking, escursioni in mountain-bike, scalate in alta montagna e per visitare le città.

1. Prima tappa è Bolzano, capoluogo dell'Alto Adige e città bilingue. Siete in un albergo panoramico, molto bello e confortevole, arredato in stile tirolese. Descrivete la vostra camera.
2. A Cortina d'Ampezzo, la regina delle Dolomiti, frequentata da artisti e personaggi famosi, andate a fare shopping in uno dei tanti negozi del centro. Volete regalare un profumo ad un vostro parente. Descrivete al commesso che tipo è e che gusti ha.
3. Siete a Tarvisio, «finestra sull'Europa», al confine tra Italia, Austria e Slovenia. In albergo avete conosciuto una persona molto simpatica e le proponete di fare un'escursione nella bellissima foresta di Tarvisio, dove l'ambiente e la natura sono ancora intatti.
4. Vi fermate al rifugio del Ghiacciaio della Marmolada a bere qualcosa di caldo. Cominciate a parlare con due italiani di Palermo, molto diversi tra di loro. Descrivete il loro aspetto fisico.
5. A Trento siete ospiti di amici che vi propongono di visitare a scelta: il centro storico rinascimentale, i vigneti e i castelli dei dintorni o le abitazioni preromaniche in Valsugana. Dite quello che vi piacerebbe fare.
6. Siete a Brescia e volete visitare la Franciacorta, zona di collina nota per la produzione del vino, che comprende 19 comuni vicini tra di loro e collegati da strade tranquille. Le cantine della zona si trovano spesso in antiche ville o casolari ristrutturati. Proponete ad una coppia di amici una gita di una giornata in mountain-bike.
7. Siete a Bergamo, a ca. 50 km da Milano. Nella città alta, antica e affascinante, ci sono molte cose da vedere: la cattedrale, la torre civica, i palazzi storici. Vi informate in un'agenzia immobiliare sugli appartamenti da comprare e rimanete fermi un giro.
8. Siete in Brianza, la ricca zona industriale della Lombardia e vi fermate a Cantù, città famosa per la produzione di mobili classici. Che cosa vi piacerebbe comprare per la vostra casa?
9. A Torino visitate il Parco e il Castello cinquecentesco del Valentino dalla elegante facciata barocca. Durante una passeggiata rilassante lungo il Po spiegate al vostro compagno di viaggio perché vi siete trasferiti in periferia.
10. Il Monte Bianco, coi suoi 4.810 metri d'altezza è la cima più alta d'Europa e si trova al confine tra Italia, Francia e Svizzera. È raggiungibile con una funivia da Courmayeur: proponete ad un vostro amico di fare un'escursione insieme.
11. Siete ad Aosta, chiamata «Roma delle Alpi» per le sue antichissime origini romane. Situata a 582 metri di altitudine, ha circa 35.000 abitanti ed è circondata dalle montagne. Un amico di lì vi chiede: «Ti piacerebbe abitare ad Aosta?»
12. Vi fermate per qualche giorno a Stresa, sul Lago Maggiore, per riposarvi dopo un periodo piuttosto stressante. Sul traghetto per le pittoresche Isole Borromee incontrate degli amici che non vedete da

almeno 10 anni. Raccontate cosa è cambiato nella vostra vita negli ultimi tempi.

13 «Quel ramo del Lago di Como ...» Così incomincia il romanzo *I promessi sposi* di Alessandro Manzoni. Siete anche voi sul Lago di Como, a casa di un'amica che vi chiede notizie di una coppia di amici comuni, noti per la loro vita sentimentale piuttosto instabile. Raccontate le ultime novità.

14 A Sondrio leggete un annuncio sul giornale locale: c'è una casa in vendita ad un prezzo davvero interessante. Andate a vederla: è bella ma ci sono molti lavori da fare. Che cosa potreste fare da soli?

15 Siete in un agriturismo a Livigno, a pochissima distanza dal Parco Nazionale dello Stelvio. Gli amanti della montagna trovano qui mille cose da fare, d'estate è anche possibile sciare sul ghiacciaio. Parlate con un altro ospite dell'agriturismo dei vostri interessi.

16 In un caffè sotto i portici del centro medioevale di Merano incontrate per caso un collega. Gli raccontate cosa avete fatto in questa vacanza e gli proponete di venire con voi a visitare il Castel Tirolo.

B Cerchiamo casa insieme!

1 Lavorate in gruppi.

Per motivi di lavoro/di studio dovete trasferirvi per un anno in Italia. Siccome alcuni vostri compagni sono nella stessa situazione, avete deciso di cercare casa insieme.

- Raccontate agli altri quali sono le vostre esigenze e i vostri interessi.

> Ho bisogno di una stanza grande per metterci il pianoforte.
>
> Non so guidare la macchina.
>
> Per me è importante avere un po' di verde intorno.

- Mettetevi d'accordo sul tipo di casa adatto per tutti.
- Cercate informazioni sulla città e scegliete la zona in cui preferite abitare.
- Cercate degli annunci di case e scegliete quelli che vi sembrano adatti.
- Scrivete un annuncio da mettere su un giornale locale e descrivete il tipo di casa che cercate.
- Riferite in plenum la vostra scelta e spiegate i vostri motivi.

C Ripetiamo un po'!

1 Raccontate la storia.

Lavorate in gruppi. Le foto e i biglietti che vedete raccontano la storia di Elisabetta e Stefano. Come e dove si sono conosciuti? Che cosa è successo dopo il loro primo incontro? Che cosa hanno vissuto insieme? Presentate la vostra storia alla classe.

2 Voi cosa fareste?

Lavorate in coppia. Scegliete una di queste due situazioni:

- oggi siete a Roma per un appuntamento importante e dovete raggiungere in breve tempo il centro;
- avete un volo prenotato da Bari a Parigi per domani.

Leggete l'articolo che vi riguarda e raccogliete idee su come reagireste in quella situazione.

Traffico, centro bloccato per smontare il palco McCartney

La chiusura di via dei Fori Imperiali, per smontare il palco su cui ieri sera si è esibito Paul McCartney, e numerosi incidenti in diverse zone della città hanno provocato oggi la semi-paralisi del traffico nel centro di Roma.

***Volare* cancella voli per domani verso Francia**

Per lo sciopero generale di domani, che bloccherà il traffico aereo da e verso le destinazioni francesi, *Volare* cancellerà i due voli giornalieri Malpensa-Parigi, il volo Bari-Parigi e il volo Venezia-Parigi.

Ci vediamo più tardi!

● Le città italiane sono molto vissute dalla gente, di giorno e di sera, nei giorni feriali e durante il fine settimana. Il carattere stesso dei centri storici italiani, dove ci sono uffici, negozi e tante abitazioni private, determina questa ***vivacità delle città***. Naturalmente anche il clima invita a stare più spesso fuori. E gli orari di lavoro fanno il resto. Infatti, in Italia si finisce piuttosto tardi di lavorare e ***il dopocena*** normalmente comincia tra le nove e le dieci. I bambini si adattano a questi ritmi e di solito non vanno a letto prima delle dieci. Gli spettacoli a teatro incominciano tra le otto e le nove e anche durante la settimana ***l'ultimo spettacolo*** al cinema incomincia intorno alle dieci e mezza.

● Anche la domenica c'è molto ***movimento in città***: la gente esce per prendere un caffè o un aperitivo, per andare a comprare il giornale e fare una passeggiata in centro.

● ***Stare in compagnia*** è molto importante, per i giovani e per chi è meno giovane. I giovani si incontrano spesso in gruppo, al solito posto o nel solito locale, dove decidono come continuare la serata. Gli adulti si vedono spesso dentro le case, nei ristoranti e nelle pizzerie, magari prima o dopo uno spettacolo. Insomma, ***le serate in allegria*** non mancano mai. E per chi proprio non sa dove andare? C'è sempre un giornale, un *tutto città* o un *vivi la città* che informa sugli ***avvenimenti cittadini***.

Dove abitare?

● Le città italiane variano moltissimo a seconda della zona, il centro è sempre costosissimo perché ***centro storico***, la periferia può essere bellissima perché verde e tranquilla, o bruttissima perché scomoda e trascurata. Nel complesso, per motivi legati ad architetture millenarie, gli spazi sono piuttosto ridotti e i caratteri molto vari. Come paragonare Venezia con Palermo? O Vicenza con Bari?

Dalla Fiat alla Mole Antonelliana

● Città della Fiat, della Juventus, della Sindone, di un'antica e prestigiosa Università e dei deliziosi gianduiotti, Torino, l'antica Augusta Taurinorum, è il ***capoluogo della regione*** Piemonte. La città, attraversata dal fiume Po, ancora oggi conserva in parte la tipica scacchiera di strade costruite dai romani. Dal 1248, quando Federico II la dà in feudo ai Savoia, la storia di Torino è legata al destino di questa famiglia. Nel 1861, con Vittorio Emanuele II diventa la prima capitale del Regno d'Italia.

● A partire dagli anni '50, con lo sviluppo dell'***industria automobilistica*** che richiama forti flussi di migrazione dall'Italia del Sud, il nome della città varca i confini dell'Italia, con una fama legata anche questa volta al nome di una famiglia: gli Agnelli, a lungo proprietari del gruppo Fiat. Eppure Torino non è solo una capitale dell'industria, è ***una città d'arte***, con grandi monumenti del periodo barocco e neoclassico. Il suo simbolo, immortalato nella moneta da due centesimi, è ***la Mole Antonelliana***. Costruita nel 1897 come tempio israelitico oggi ospita ***il Museo del Cinema*** che con ***il Museo Egizio***, il - secondo più importante del mondo dopo quello del Cairo, fa parte dei 40 musei torinesi.

Come sto bene!

Osservate.
Quali prodotti riconoscete sulla foto?

Abbinate.
Associate dei prodotti ai seguenti aggettivi:
grasso, magro, piccante, secco, fresco, dolce, amaro, salato.

Discutete in piccoli gruppi.
Quali di questi prodotti usate abitualmente in cucina?
Quali altri prodotti alimentari italiani usate generalmente?

A Non si fabbrica, si fa.

1 Leggete.
Quali sono gli ingredienti del Parmigiano-Reggiano?

PARMIGIANO-REGGIANO

Da almeno otto secoli un gran formaggio, il Parmigiano-Reggiano è il formaggio italiano per eccellenza. Già citato da Boccaccio nel Decamerone (1350), ha da secoli lo stesso aspetto e gusto ed è fatto allo stesso modo e negli stessi luoghi di sempre. Dal 1996 ha la denominazione di origine protetta. Si produce nei circa 600 caseifici artigianali delle province di Reggio Emilia, Modena, Parma, Bologna (alla sinistra del fiume Reno) e Mantova (alla destra del Po).

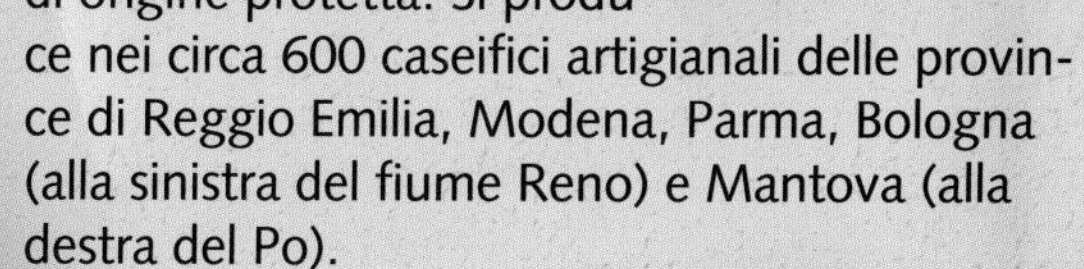

Le regole di produzione sono rigorosissime. Ancora oggi si fa tutto a mano. Si usano solo latte crudo della zona (circa 16 litri per un chilo di formaggio), siero e caglio e non si impiegano né conservanti né coloranti. Le forme di parmigiano devono stagionare per almeno 12 mesi, ma durante questo periodo il lavoro continua: bisogna pulirle, girarle e controllarle giorno per giorno.
Il Parmigiano-Reggiano è un alimento completo, sano e genuino, ricco di proteine, vitamine, calcio e fosforo. È altamente digeribile e ingrediente di tante ricette.

Usate il parmigiano in cucina? Con quali piatti?

2 Scrivete.
Raccogliete le informazioni sul Parmigiano-Reggiano:

Storia:	Luoghi di provenienza:	Caratteristiche:
....	....	....
....	....	....
....	....	....

3 Completate.
Cercate nel testo le forme mancanti.

Come si fa il Parmigiano-Reggiano?
Si .... tutto a mano.
Non si .... conservanti.

4 Completate.
Inserite nel testo sulla produzione dell'olio d'oliva i seguenti verbi: raccogliere, portare, macinare, mettere, spremere, filtrare, imbottigliare.

Le olive *si raccolgono* in autunno, ... al frantoio
e .... fino ad ottenere una specie di pasta.
La pasta di olive .... nelle presse e ....
L'olio poi .... e ....

5 **Lavorate in gruppi.**
Discutete su come e quando si consumano questi prodotti nel vostro paese e in Italia.

ESEMPIO In Italia durante i pasti si mangia molto pane.
Qui invece ... / Da noi ...

dolci · birra · pasta · vino · caffè · formaggio · pane

Es. 1 – 3
p. 116

B Cosa stai facendo di buono?

1 **Ascoltate il dialogo.**
Cosa c'è per cena da Raffaella e Giuliano?

- ● Hmm che profumino! Cosa stai facendo di buono?
- ○ Sto preparando gli gnocchi alla romana.
- ● Che buoni! È una vita che non li mangio. E di secondo cosa c'è?
- ○ Mah, siccome gli gnocchi riempiono tanto vorrei fare solo un po' di verdure alla griglia.
- ● Beh, allora aspetta che ti do una mano. Hai già acceso il forno?

...

- ● Quanto tempo ci vuole ancora?
- ○ Poco, è quasi pronto.
- ● Perfetto. Allora io apparecchio la tavola. Ma Riccardo e Stefania quando arrivano?
- ○ Hanno chiamato, stanno cercando un parcheggio qui sotto.

- ● Meno male ... io sto morendo dalla fame. Senti, che vino beviamo?
- ○ Mah, un bianco direi ...
- ● Dunque, vediamo che cosa abbiamo di freddo ...

2 **Completate.**
Inserite le parole mancanti.

Cosa stai facendo di buono?
.... gli gnocchi.
Cosa stanno facendo Riccardo e Stefania?
.... un parcheggio.

fare → facendo
preparare → preparando
prendere → prendendo
finire → finendo

Come vi esprimereste in queste situazioni nella vostra lingua?

3 **Ascoltate.**
Che cosa stanno facendo le persone?
Ascoltate i rumori e completate le frasi con le seguenti espressioni:
fare la doccia, leggere il giornale, mangiare, suonare il pianoforte.

1. Marianna ....
2. Piero e Claudio ....
3. Luca ....
4. Mio padre ....

4 Leggete e osservate.
Leggete le descrizioni e osservate l'illustrazione.

Come apparecchiare la tavola quando avete ospiti:
1 tovagliolo piegato
2 forchette per antipasto, primo e secondo
3 sottopiatto, piatto e piattino per l'antipasto
4 coltello
5 cucchiaio per i primi in brodo
6-7-8 bicchieri da vino rosso, bianco e da acqua
9 coltellino e forchettina da frutta e cucchiaino da dolce
10 piattino per il pane

Pensate a cosa preparate voi quando avete ospiti e dite come apparecchiate la tavola.

Es. 4–7
pp. 117–118

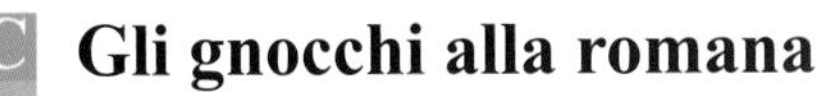

C Gli gnocchi alla romana

1 Ascoltate.

- ● Raffaella, questi gnocchi sono buonissimi. Sono difficili da preparare?
- ○ No, però ci vuole un po' di tempo, perché devi preparare l'impasto, poi li devi tagliare e mettere nel forno. Però la preparazione è piuttosto semplice.
- ● Senti, e che ingredienti ci vogliono?
- ○ Dunque, le uova, il semolino, il parmigiano ... ma guarda, se vuoi ti do la ricetta.

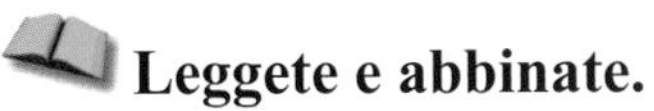

2 Leggete e abbinate.
Leggete la ricetta e scrivete le parole in corsivo sotto le illustrazioni.

Gnocchi alla romana

DOSI PER 4 PERSONE • TEMPO: 1 h 30'

Ingredienti

PER GLI GNOCCHI:
250 g. di semolino
60 g. di burro
30 g. di parmigiano grattugiato
3 tuorli d'uovo
1 pizzico di noce moscata
1 l. di latte
sale

PER CONDIRE:
70 g. di burro
70 g. di parmigiano grattugiato

Preparazione

Far *bollire* il latte con il burro, un po' di sale e aggiungere il semolino. *Mescolare* per 10-15 minuti. Togliere il composto dal fuoco, *aggiungere* i tuorli, il parmigiano e la noce moscata. Rimescolare e *versare* l'impasto su un piano di marmo. Stenderlo ad uno spessore di circa 1 cm. Quando è freddo *tagliare con uno stampo* (o un bicchiere) il composto in tondini del diametro di circa 4 cm. Mettere gli gnocchi in una pirofila, *condire* con il burro fuso ed il parmigiano e metterli in forno alla temperatura di 180° per circa 10 minuti.

3 **Completate.**

Quanto tempo	per fare gli gnocchi?	Un'ora e mezza.
Che ingredienti		Dunque, le uova, il semolino ...

4 **Lavorate in gruppi.**
Discutete sul tempo e sugli ingredienti necessari per preparare i seguenti piatti.

pizza

risotto ai funghi

arrosto di vitello

lasagne

tiramisù

minestrone

Es. 8–10
pp. 118 – 119

5 **Lavorate in coppia.**
Vi piace cucinare? Scegliete un piatto per una delle seguenti occasioni, scrivete insieme la ricetta e presentatela al resto della classe.

un picnic estivo — il cenone di Capodanno — una festa di compleanno

Ascolto

1 **Lavorate in gruppi.**
Prima di ascoltare la canzone *Ci vuole un fisico bestiale* di Luca Carboni fate delle ipotesi sul titolo: che cosa significa secondo voi?

2 **Lavorate in coppia.**
Ascoltate la canzone. Dopo l'ascolto fate in coppia una lista delle parole riconosciute. Riferite in plenum.

3 **Collegate.**
Ascoltate la canzone e collegate le frasi.

Ci vuole un fisico bestiale per ...	... siam barche in mezzo al mare
Ci vuole un fisico bestiale perché ...	... stare dritti controvento
Ci vuole un attimo di pace per ...	... bere e per fumare
Ci vuole molto allenamento per ...	... stare nel mondo dei grandi
	... resistere agli urti della vita
	... fare quello che ci piace
	... fare quello che ti pare
	... siamo sempre ad un incrocio

4 **Fate conversazione.**
Scegliete tra le frasi del punto 3 quella che preferite e spiegate perché.

D Uno sport per tutti

1 Guardate l'illustrazione.
Conoscete questo sport? Lo praticate?

2 Ascoltate l'intervista.

- ● Siamo qui con il Sig. Ricciotti, responsabile del gruppo sportivo «Wellness Club» per parlare di una nuova disciplina sportiva: il fitwalking. Sig. Ricciotti, Lei ha introdotto questo sport nel suo gruppo e ormai sono numerose le persone che lo praticano. Ci può spiegare di cosa si tratta precisamente? È un'attività difficile?
- ○ No, per niente. Il fitwalking è tecnicamente più semplice della marcia, ma più complesso di una passeggiata. Bisogna solo cambiare un po' il modo di camminare, in fondo è tutto lì.
- ● Quindi non ci vuole una grandissima preparazione atletica ...
- ○ No, all'inizio basta camminare anche solo per pochi minuti con un'andatura non molto veloce. Poi bisogna aumentare intensità e durata, fino ad arrivare a mezz'ora al giorno. Comunque il fitwalking è meno faticoso del jogging.
- ● Ci sono percorsi particolarmente consigliabili?
- ○ In pianura è molto più facile eseguire la camminata in modo corretto, soprattutto all'inizio.
- ● E quali sono i benefici?
- ○ Beh, dopo qualche mese di allenamento costante i benefici si cominciano a sentire, è uno sport che fa bene alla circolazione, all'umore e aiuta a dimagrire ...

Che tipo di sport è il fitwalking?

3 Lavorate in gruppi.
Quale di questi sport praticate o vi piacerebbe praticare? Perché?
A che cosa fa bene? A chi lo consigliereste?

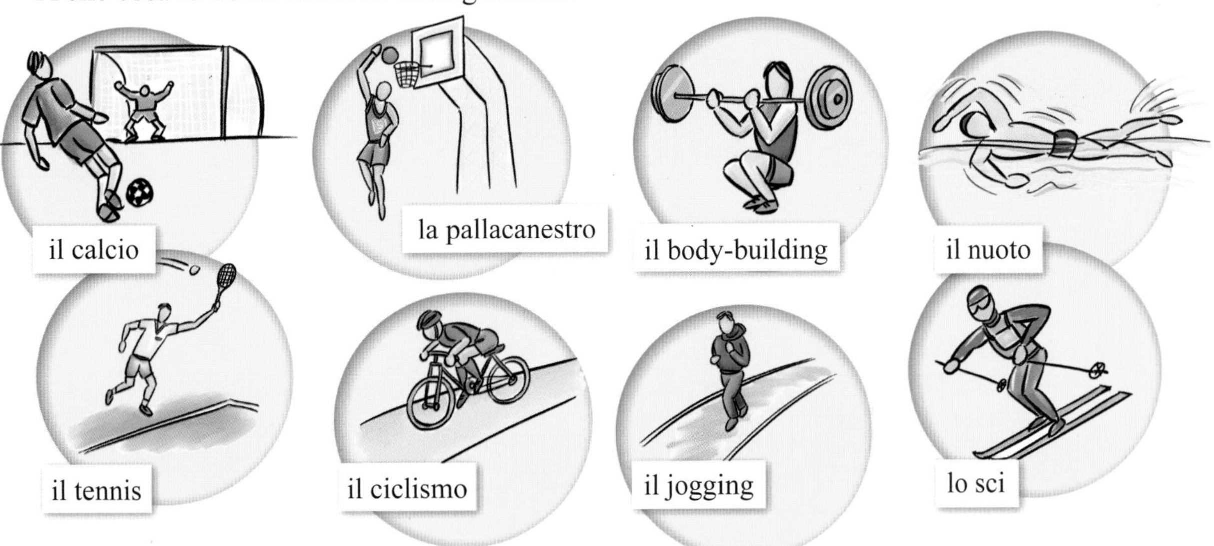

4 **Completate.**
Inserite le parole mancanti.

Cosa bisogna fare per praticare il fitwalking?
.... cambiare un po' il modo di camminare.
All'inizio .... camminare per pochi minuti.

5 **Lavorate in coppia.**
Raccogliete alcune informazioni su uno sport a vostra scelta e descrivete questo sport ai vostri compagni. Chi indovina di quale sport si tratta? Ecco alcune espressioni utili.

bisogna avere molto tempo
ci vuole una buona attrezzatura
basta avere una buona condizione generale
ci vuole una buona preparazione atletica

6 **Completate.**
Rileggete il dialogo e inserite le parole mancanti.

Il fitwalking è un'attività difficile?			
No,	è .... semplice	.... marcia ed	
	è .... faticoso	.... jogging.	

7 **Lavorate in coppia.**
Pensate agli sport indicati nel punto 3 e fate dei paragoni aiutandovi con i seguenti aggettivi:
costoso, faticoso, difficile, divertente, pericoloso, completo, praticato.

Es. 11–14
pp. 119–120

ESEMPIO Il nuoto è meno costoso dello sci ... ma è anche meno divertente!

E Io sto bene quando ...

1 **Osservate e scrivete.**
Guardate queste foto e scrivete sotto a ciascuna due cose che vi vengono in mente. Confrontate con il vostro compagno.

....

....

....

....

....

....

2 **Mettete una crocetta.**
Quale tra queste attività preferite?

- [ ] passeggiare nella natura
- [ ] cucinare e mangiar bene
- [ ] fare molto sport

3 Leggete.
Cercate tra queste manifestazioni quella che fa per voi.

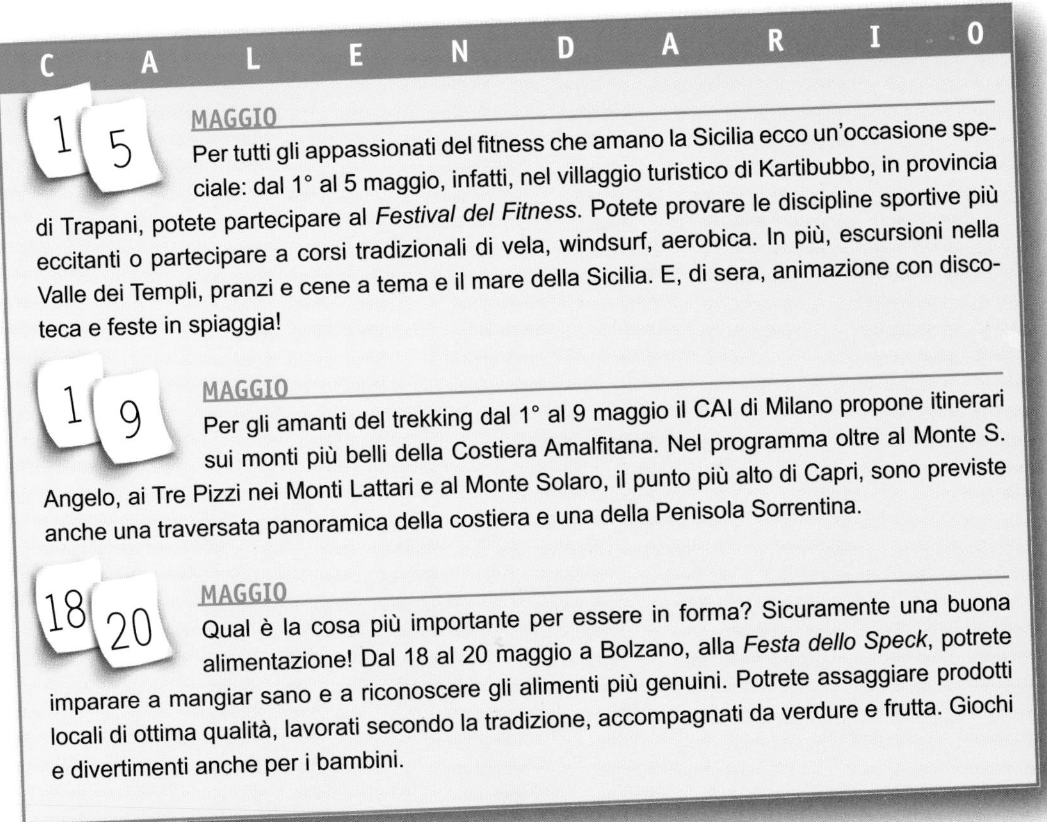

CALENDARIO

1 5 MAGGIO
Per tutti gli appassionati del fitness che amano la Sicilia ecco un'occasione speciale: dal 1° al 5 maggio, infatti, nel villaggio turistico di Kartibubbo, in provincia di Trapani, potete partecipare al *Festival del Fitness*. Potete provare le discipline sportive più eccitanti o partecipare a corsi tradizionali di vela, windsurf, aerobica. In più, escursioni nella Valle dei Templi, pranzi e cene a tema e il mare della Sicilia. E, di sera, animazione con discoteca e feste in spiaggia!

1 9 MAGGIO
Per gli amanti del trekking dal 1° al 9 maggio il CAI di Milano propone itinerari sui monti più belli della Costiera Amalfitana. Nel programma oltre al Monte S. Angelo, ai Tre Pizzi nei Monti Lattari e al Monte Solaro, il punto più alto di Capri, sono previste anche una traversata panoramica della costiera e una della Penisola Sorrentina.

18 20 MAGGIO
Qual è la cosa più importante per essere in forma? Sicuramente una buona alimentazione! Dal 18 al 20 maggio a Bolzano, alla *Festa dello Speck*, potrete imparare a mangiar sano e a riconoscere gli alimenti più genuini. Potrete assaggiare prodotti locali di ottima qualità, lavorati secondo la tradizione, accompagnati da verdure e frutta. Giochi e divertimenti anche per i bambini.

Dite al vostro vicino quale manifestazione avete scelto e perché.

4 Completate.

Al Festival del Fitness potete provare .... discipline sportive .... eccitanti.
.... cosa .... importante per essere in forma è una buona alimentazione.

Sottolineate altri esempi di superlativo relativo nei testi che avete letto.

5 Scrivete.
Lavorate in coppia e formulate un piccolo testo per fare pubblicità a scelta a:
- un prodotto gastronomico tipico del vostro paese
- una città/zona turistica particolarmente interessante
- una manifestazione da non perdere

6 Lavorate in gruppi.
Leggete i fumetti. Che cosa significa «star bene» per voi?

Io sto bene quando torno a casa e mi faccio un bel caffè.

Io sto bene quando passo una bella serata in compagnia.

Io sto bene dopo due ore di palestra.

Es. 15–16
p. 121

Ricapitoliamo!

Lavorate in gruppi. Immaginate di trascorrere insieme un fine settimana all'insegna del fitness e del benessere. A quali attività vi dedicate? Cosa portate in tavola?

Si dice così

Parlare di ciò che succede attualmente

Cosa stai facendo di buono?
Riccardo e Stefania stanno cercando un parcheggio.

Informarsi su ciò che è necessario

Quanto tempo ci vuole?
Che ingredienti ci vogliono?

Chiedere un parere e fare una proposta

Che vino beviamo? Mah, un bianco, direi ...

Riflettere

Dunque, vediamo che cosa abbiamo di freddo ...

Esprimere una necessità comune

Bisogna cambiare il modo di camminare.

Giungere ad una conclusione

Quindi non ci vuole ...

Esprimere sollievo

Meno male!

1. I verbi *produrre* e *raccogliere* → 34

	produrre	raccogliere
io	produco	raccolgo
tu	produci	raccogli
lui, lei, Lei	produce	raccoglie
noi	produciamo	raccogliamo
voi	producete	raccogliete
loro	producono	raccolgono

Come *produrre* coniughiamo ***tradurre***, ***condurre*** ecc.
Come *raccogliere* coniughiamo ***scegliere***, ***accogliere*** ecc.
Il ***participio passato*** di *produrre* è ***prodotto***,
di *raccogliere* è ***raccolto***.

2. *Si* → 16

Si usa latte crudo.
A Pasqua **si mangiano** molti dolci.

3. Il *gerundio* → 14, 34

ascolt**are** → ascolt**ando**
legg**ere** → legg**endo**
ven**ire** → ven**endo**

bere → ***bevendo***, *fare* → ***facendo***, *dire* → ***dicendo***

4. *Ci vuole/ci vogliono* → 17

Per preparare il minestrone
ci vuole mezz'ora.
ci vogliono le verdure fresche.

5. *Basta / bastano* e *bisogna* + infinito →18

All'inizio **basta** camminare poco.
Bastano pochi minuti.
Poi **bisogna** aumentare la durata.

6. Il comparativo e il superlativo relativo → 2

Il walking è **più** semplice **del** jogging.
La marcia è **meno** faticosa **della** corsa.

La cosa **più** importante è l'allenamento costante.

note

UNITÀ 5 *Qui prima c'era ...*

Osservate le immagini.
Abbinate le parole agli oggetti.

1 i pantaloni a zampa di elefante
2 i pattini a rotelle
3 la stufa a legna
4 i dischi a 45 giri
5 la Cinquecento
6 il telefono a disco
7 il telegramma
8 la videocamera
9 il cubo di Rubik

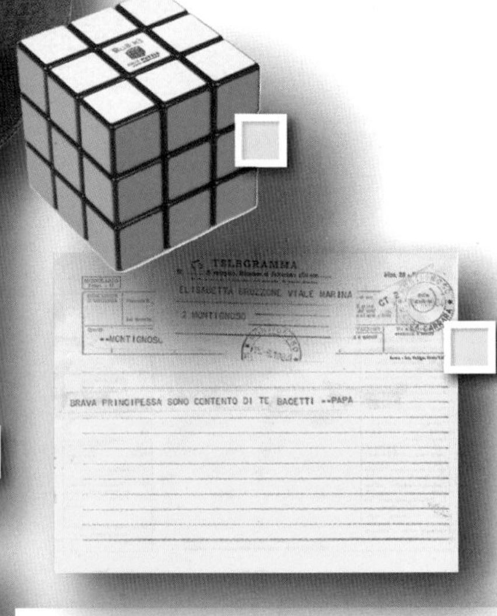

Che cosa si usa ancora o non si usa più?
Che cosa avete usato anche voi?
Quali altri oggetti associate al vostro passato?

A Sei un tipo nostalgico?

1 Mettete una crocetta.

Rispondete alle domande.

	sì	no
Ti piacciono i mercatini delle pulci?	○	○
Conservi ancora il pelouche o i giocattoli della tua infanzia?	○	○
Rivedi con piacere te stesso nelle vecchie foto?	○	○
Ti entusiasmano i nuovi mezzi di comunicazione?	○	○
Porti con te la foto di un vecchio amore?	○	○
Ti piacerebbe vivere per un periodo in un secolo passato?	○	○
Accetteresti di partecipare ad un viaggio premio nello spazio?	○	○
Quando sei al mare raccogli le conchiglie e le porti a casa?	○	○
Ti capita di pensare con rimpianto a momenti passati della tua vita?	○	○

2 Lavorate in gruppi e riferite.

All'interno del vostro gruppo sommate il totale delle crocette nelle caselle di colore rosso. Qual è il gruppo più nostalgico della classe? Ci sono altre cose che fate per nostalgia?

3 Ascoltate.

- ● Ieri in centro ho visto te e Marcella alla bancarella dei dischi usati. Allora piacciono anche a voi i mercatini delle pulci ...
- ○ A Marcella non tanto, a me invece sì, li adoro.
- ● Anch'io, ci compro di tutto, dalle posate ai mobili!
- ❑ A me invece questi mercatini non piacciono per niente. E a te, Paolo?
- ◆ Neanche a me, anzi, non li sopporto proprio. Non ho la pazienza di stare lì a cercare tra la roba vecchia ...

4 Osservate e completate.

a me
a te
a lui
a lei, Lei
a noi
a voi
a loro

A voi piacciono i mercatini delle pulci?	
● .... sì.	● A me no.
○ Anche a me.	○ Neanche ....

Conservate ancora i giocattoli dell'infanzia?	
● Io sì.	● Io no.
○ Anch'io.	○ Neanch'io.

5 🎧 **Ascoltate.**

In quali di questi brevi dialoghi le persone sono della stessa opinione? In quali hanno opinioni diverse? Mettete una crocetta.

	stessa opinione	opinioni diverse		stessa opinione	opinioni diverse
1.	☐	☐	4.	☐	☐
2.	☐	☐	5.	☐	☐
3.	☐	☐	6.	☐	☐

6 **Lavorate in gruppi.**

Rispondete alle seguenti domande e discutete.

Es. 1–5
pp. 122–123

Vi piace fare foto durante le vacanze?

Capita anche a voi di ascoltare una canzone dei «vecchi tempi» e di cominciare a sognare?

Comprate spesso un oggetto ricordo durante un viaggio?

B I Navigli milanesi

1 **Leggete.**

Leggete il testo. Che cosa sono i Navigli? Esistono ancora?

Milano non è sul mare, eppure fino agli anni Trenta aveva un porto, la Darsena di Porta Ticinese, e una fitta rete di canali navigabili. I canali collegavano la città al mare Adriatico.

Dalla Darsena ancora oggi partono due grandi Navigli che collegano la città con i fiumi Adda, Lambro e Ticino.

I canali interni della città, che formavano l'antica Cerchia dei Navigli, invece non esistono più.

La navigazione sul Naviglio Grande comincia nel 1387. Allora i barconi trasportavano dal Lago Maggiore a Milano i marmi di Candoglia che servivano per la costruzione del Duomo.

Esistevano diverse compagnie per il trasporto dei passeggeri, ma il trasporto delle merci era l'attività più importante. Lungo i navigli interni c'erano le botteghe ed i magazzini, mentre al Naviglio Grande fino ai primi anni del 1900 le lavandaie facevano il bucato. A partire dal 1926 comincia la copertura della Cerchia dei Navigli, per rendere possibile l'allargamento delle strade e la costruzione di nuovi edifici che dovevano dare un'immagine più moderna di Milano.

2 **Scrivete.**
Cercate nel testo la frase adatta a descrivere il disegno.

....

....

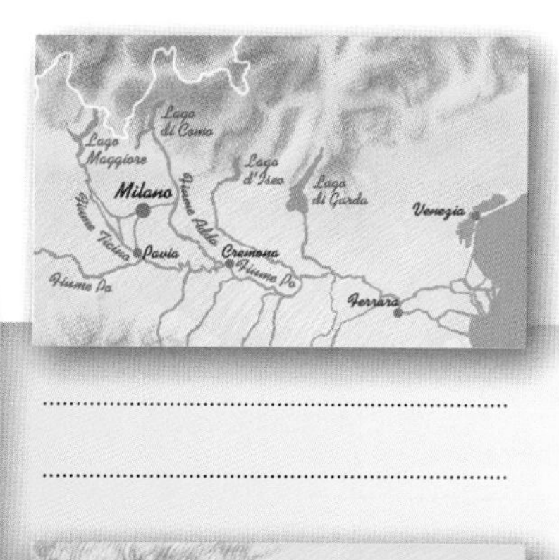

....

....

....

....

....

....

....

....

3 **Osservate e completate.**
Rileggete e inserite i verbi del testo che corrispondono ai seguenti infiniti.

trasportare
trasportavo trasportavi trasportava trasportavamo trasportavate trasportavano

avere → ....

dovere → ....

servire → ....

essere → ....

fare → ....

esserci → ....

Com'era Milano agli inizi del 1900?
Era molto diversa da adesso, aveva un porto e una rete di canali.

4 **Completate.**
Inserite nel testo su piazza Navona i seguenti verbi: esistere, esserci, svolgersi, aver luogo, venire.

La forma odierna della piazza, con le fontane, la chiesa di S. Agnese, il Palazzo Pamphili e le case che la circondano .... già nel 1700. La storia di piazza Navona risale all'antica Roma. Dove oggi c'è la piazza ai tempi dei Romani .... il grandissimo circo dell'Imperatore Domiziano. Qui .... finte battaglie navali, spettacoli pubblici, giochi ecc. Anche nel medioevo le feste popolari .... nella piazza e ancora più tardi, nel XIX secolo, il popolo .... qui nelle domeniche e nelle feste del mese di agosto per rinfrescarsi nell'acqua delle fontane.

5 **Lavorate in coppia.**
Descrivete com'era la vostra città o il vostro paese quando eravate bambini.

Es. 6–10
pp. 124–125

C Da bambina ci venivi spesso?

1 Ascoltate.
Dove vanno a passeggiare la nonna e la nipote?

- ● Ecco, guarda, vedi quella casa all'angolo?
- ○ Dove c'è l'erboristeria?
- ● Sì. Abitavamo proprio lì.
- ○ E il naviglio dove passava?
- ● Passava proprio davanti alla casa ... Eh, Milano era diversa allora, sai, non c'era il traffico di oggi. Però per fortuna i giardini sono rimasti. Dai che ci andiamo a fare due passi.

...

- ○ Che carino qui, nonna! Tu da bambina ci venivi spesso?
- ● Sì, la zia Paola ed io ci venivamo a giocare quasi ogni giorno.
- ○ E a cosa giocavate?
- ● Mah, saltavamo alla corda, qualche volta giocavamo a palla e quando venivano i nostri cugini giocavamo sempre a nascondino. D'estate, la sera non volevamo mai tornare a casa ...
- ○ Insomma questo era il tuo posto preferito quand'eri piccola.
- ● Eh, ma non solo allora, anche da ragazza venivo qui ai giardini ... con il nonno ci venivamo sempre a passeggiare la domenica pomeriggio. E tutti ci guardavano! Perché eravamo proprio una bella coppia, sai?
- ○ E lo so, lo so.

2 Rispondete.
Rileggete il testo e completate.
Quali giochi faceva di solito la nonna da bambina?

....

....

....

3 Completate.
Inserite le espressioni di tempo che mancano.

Da bambina ci venivi ....?
Sì, la zia Paola ed io ci venivamo quasi .... Quando venivano i nostri cugini giocavamo .... a nascondino. .... non volevamo mai tornare a casa.

4 Scrivete e raccontate.
Che cosa facevate in questi periodi della vostra vita? Riflettete, prendete nota e raccontate.

Da bambino/bambina ...	Quando andavo ancora a scuola ...	A .... anni ...
....	....	....
....	....	....

5 Lavorate in coppia.
Pensate ad un luogo della vostra infanzia che vi è particolarmente caro e raccontate al vostro compagno i vostri ricordi.

la sera • quando • spesso • d'estate • d'inverno • ogni giorno • sempre • ogni volta che

6 Raccontate.

Guardate le foto e discutete in piccoli gruppi della vita in questi periodi.

Come si viaggiava?
Che cosa si faceva nel tempo libero?
Che musica si ascoltava?

Es. 11
p. 125

Lettura

1 Lavorate in coppia.
Secondo voi com'era la giornata di un bambino che viveva in campagna 60 anni fa?

2  **Leggete.**
Maurizia Rossi, di circa quindici anni, ha mandato questa lettera al quotidiano *la Repubblica*.
Leggete il testo e concentratevi sulle abitudini del nonno di Maurizia.

3 Lavorate in coppia.
Rileggete il testo e raccogliete le parole relative alle categorie di seguito.

famiglia ◆ casa ◆ campagna

4 Rispondete.
Cosa faceva volentieri il nonno? Cosa non amava fare?

Perché secondo voi Maurizia ha deciso di raccontare l'esperienza del nonno?

L E T T E R E

risponde
CORRADO AUGIAS
c.augias@repubblica.it

Caro Augias, racconta mio nonno che abitava in una stanza dove dormivano lui, i fratelli, i genitori e una loro nonna. Allora erano i nonni le persone più importanti alle quali portare rispetto. Una stanza così oggi la chiamano una catapecchia. Ma una volta chi ne possedeva una, anche molto stretta, era ricco, non tutti avevano la fortuna di avere un tetto, sia pure bucato, sulla testa. E non era da tutti avere vicino casa una fontana con acqua sempre disponibile. Mio nonno odiava alzarsi ogni mattina e uscire fuori al freddo, mezzo addormentato, a lavarsi con quell'acqua gelida il viso.
La mattina mangiava un po' di polenta o di pane, avanzi della sera precedente. Tutte le mattine che doveva andare a scuola passava per un viottolo vicino a un negozietto di alimentari dove si fermava a comprare la sua misera merenda.
Quando tornava a casa dopo aver mangiato doveva recarsi all'orto. Ogni giorno c'era qualche lavoro. Odiava molto i mesi di giugno, dicembre, aprile perché bisognava mietere, cogliere le olive, zappare. Era felice invece quando si dovevano sgranare le pannocchie perché era considerata una festa, infatti c'era chi suonava l'organetto e chi danzava.

Maurizia Rossi
Liceo scientifico statale «G. Sulpicio», Veroli (Fr)

PUBBLICO *volentieri lettere come questa. Ci riportano alla memoria un passato che abbiamo rimosso in fretta dimenticandoci dove e chi eravamo. Da dove abbiamo incominciato solo pochi anni fa, cioè ieri.*

da: la Repubblica

D Un giorno senz'auto

1 **Leggete.**
Cosa sono *Ruoteperaria* e *Milanochepedala*?

MILANOCHEPEDALA
Domenica 22 Settembre
Partenza 11.00 – P.zza Castello

Nel capoluogo lombardo il 22 settembre si tiene *Milanochepedala*, una passeggiata in bicicletta di 16 chilometri lungo i Bastioni. Per finire in bellezza, picnic nel parco e numerose iniziative per grandi e piccini. Info Internet: www.turbolento.net; www.atala.it.

RUOTEPERARIA
20 21 22 SETTEMBRE

Domenica 22 settembre nelle principali città europee si festeggia una giornata senza auto dedicata ai pedoni. A Roma, oltre a una pedalata ecologica, alle Terme di Caracalla dal 20 al 22 settembre si tiene la manifestazione *Ruote per aria*, dove le ditte più all'avanguardia presentano al pubblico i nuovi veicoli ecologici. Per informazioni: tel. 06/630175.

Internet: www.ruoteperaria.it

2 **Rileggete.**
Cercate nel testo le espressioni per:

persone che vanno a piedi..........

giro in bicicletta..........

mezzi di trasporto ecologici ....

città principale di una regione..........

3 **Ascoltate.**

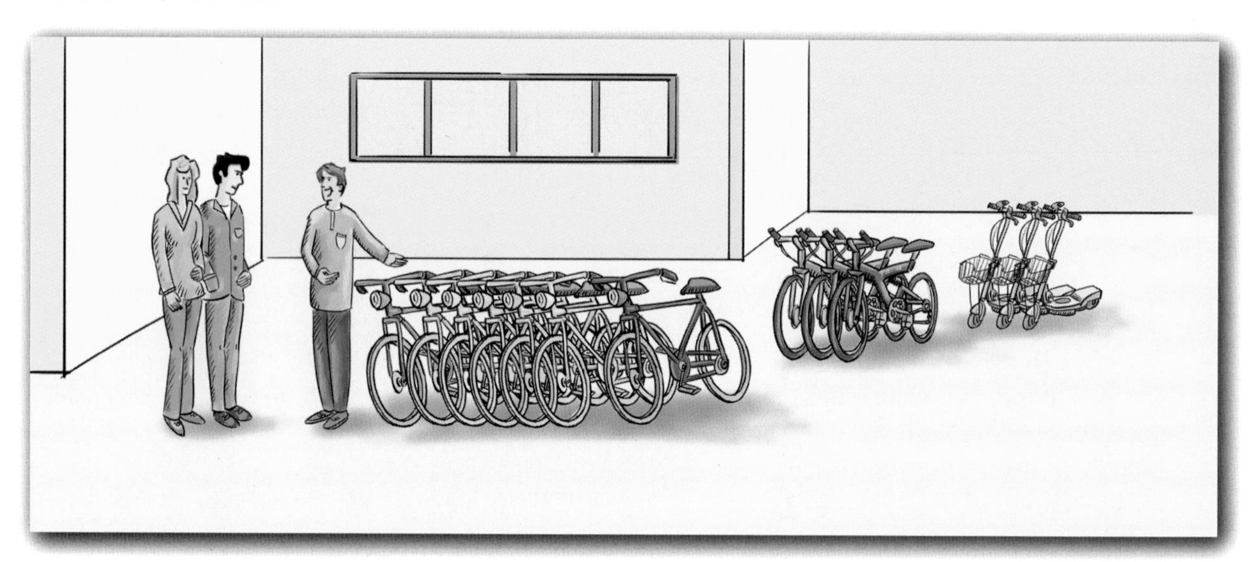

- ● Buongiorno.
- ○ Buongiorno.
- ● Vorremmo noleggiare una bicicletta per partecipare domani alla *Milanochepedala*. Che cosa potrebbe consigliarci?
- ○ Beh, vi converrebbe prendere una bicicletta comoda. Però vediamo cosa è rimasto perché abbiamo avuto tante richieste ... Ecco, queste qui sono semplici e anche piuttosto economiche, questa rossa ad esempio costa 10 euro al giorno, quella blu lì in fondo invece ha più accessori, ha più marce e costa un po' di più.
- ■ E quelle mountain bike laggiù?
- ○ Ma quelle per il percorso che dovete fare non sono adatte, a voi serve una bici da città.
- ● Mah, io allora prenderei quella blu. Tu che ne dici?
- ■ Sì, sì, quella va bene senz'altro.
- ○ Allora un attimo che Le regolo il sellino.
- ■ Senta, ancora una curiosità: anche quei monopattini si possono noleggiare?
- ○ Certo. Quelli però sono monopattini elettrici, quelli normali sono lì a destra.

4 Completate e osservate.

Vorremmo noleggiare una bicicletta. Che cosa potrebbe consigliarci?
Vi converrebbe prendere una bicicletta comoda. .... rossa costa 10 euro al giorno, ... blu lì in fondo costa un po' di più.

5 Completate.
Inserite le forme di *questo* e *quello* e continuate il dialogo basandovi sul disegno.

6 Rileggete il testo e completate.

Anche .... monopattini si possono noleggiare?
Certo, ... però sono monopattini elettrici, ... normali sono qui a destra.

7 Abbinate.
Scrivete accanto alle forme di *quello* i sostantivi appropriati.

agenzia ◆ automobili ◆ guanti ◆ motociclette ◆ motorino ◆
orologio ◆ occhiali ◆ sciarpa ◆ stivali ◆ zaino

quel	....	quei	....
quello	....	quegli	....
quell'	....		....
quella	....	quelle	....
quell'	....		....

8 Lavorate in coppia.
Siete arrivati da poco in città e chiedete gentilmente ad un compagno di corso se può consigliarvi:
- un buon ristorante,
- un posto dove passare una bella serata,
- dei negozi dove comprare qualcosa per la casa.

Es. 12–16
pp. 126–127

Ricapitoliamo!

Tutti i gusti son gusti ... e a volte col tempo cambiano! Rispetto al cibo, ad esempio: che cosa vi piace adesso? Che cosa vi piaceva prima? Lavorate in gruppi e confrontate i vostri gusti. Se volete potete discutere anche di cinema, musica, moda o altro.

Si dice così

Esprimere la stessa opinione o un'opinione diversa

Io adoro i mercatini delle pulci.	Anch'io. Io invece non li sopporto.
A me non piacciono i mercatini.	Neanche a me. A me sì.

Chiedere e dare un consiglio

Cosa potrebbe consigliarci?	Beh, vi converrebbe prendere una bicicletta comoda.
Tu che ne dici di quella blu?	Sì, quella va bene.

Descrivere qualcosa nel passato

Milano una volta era diversa: aveva un porto. I canali collegavano la città al mare Adriatico.

Parlare di un'abitudine o di una situazione ripetuta nel passato

Venivamo a giocare qui ogni giorno.
Qualche volta giocavamo a palla.
D'estate la sera non volevamo mai tornare a casa.

1. Pronomi diretti e indiretti tonici → 4

note

me	noi	Per **me** è bello.
te	voi	A **lei** piace, a **lui** invece no.
lui, lei, Lei	loro	Ieri ho visto **te** e Gina.

2. L'*imperfetto* → 23, 34

	pensare	avere	finire
io	pens**avo**	av**evo**	fin**ivo**
tu	pens**avi**	av**evi**	fin**ivi**
lui, lei, Lei	pens**ava**	av**eva**	fin**iva**
noi	pens**avamo**	av**evamo**	fin**ivamo**
voi	pens**avate**	av**evate**	fin**ivate**
loro	pens**ạvano**	av**ẹvano**	fin**ịvano**

essere → ***ero***, *fare* → ***facevo***, *dire* → ***dicevo***

3. Il *condizionale presente*: uso → 27

Che cosa ci **potrebbe** consigliare?
Vi **converrebbe** prendere questo.
Io allora **prenderei** quella blu.

4. La posizione dei pronomi diretti e indiretti atoni con un infinito → 6

Che cosa **ci** potrebbe consigliare?
Che cosa potrebbe consigliar**ci**?

5. I pronomi dimostrativi *questo* e *quello* → 9

quest**o**	quest**i**	Vi conviene prendere una bici comoda:
quest**a**	quest**e**	**questa (qui)** è semplice,
quell**o**	quell**i**	**quella (lì)** ha più accessori.
quell**a**	quell**e**	

6. L'aggettivo dimostrativo *quello* → 9

que**l**	motorino	que**i**	guanti
quel**lo**	zaino	que**gli**	stivali
quel**l'**	orologio	que**gli**	occhiali
quel**la**	motocicletta	quel**le**	sciarpe
quel**l'**	agenzia	quel**le**	automobili

UNITÀ 6 Ripasso

A Un viaggio nel tempo

1 Formate piccoli gruppi.

Ogni gruppo riceve un dado e ogni studente una pedina. Si parte dagli anni '50 e si arriva fino ad oggi. Ad ogni numero sul percorso corrisponde un compito che mette alla prova i vostri ricordi.

Anni '50

1. Se pensate agli anni '50 che cosa vi viene in mente?

Anni '60

2. Rimanete fermi un giro per provare la nuova Cinquecento. Vi piace?
3. Parlate di gruppi musicali, cantanti o attori di successo degli anni '60 che conoscete.

Anni '70

4. Rimanete fermi un giro per cambiarvi d'abito: come siete vestiti?
5. Quali colori vi vengono in mente se pensate agli anni '70?
6. Descrivete i vestiti che andavano di moda allora.

Anni '80

7. Come si comunicava con una persona lontana?
8. Dite qualcosa sulle persone che componevano la vostra famiglia.
9. Raccontate un avvenimento di quel decennio.
10. Canzoni, cantanti, film: cosa ricordate?

Anni '90

11. Rimanete fermi un giro per fare una telefonata. A chi? Perché?
12. Sapete quale paese ha ospitato i Mondiali di calcio nel 1990? Parlate del vostro sport preferito.
13. Descrivete un avvenimento accaduto negli anni '90.
14. Quali nuove tecnologie si sono diffuse in quel periodo?

Oggi

15. Quali ingredienti ci vogliono per il vostro piatto preferito?
16. Pensate ad una persona della vostra famiglia: cosa sta facendo probabilmente in questo momento?
17. Che cosa comprereste in un mercatino delle pulci?
18. «Come sto bene!» In che occasioni dite questa frase?

Partenza
1
2
3
4
5
6
7
8
9
10
11
12
13
14
15
16
17
18
oggi
Arrivo

B Facciamo insieme un libro di cucina!

1 Lavorate in gruppi.

Probabilmente conoscete già molte ricette della cucina italiana. Però ce ne sono ancora tante da scoprire perché la varietà di piatti delle diverse regioni è grandissima. Ogni gruppo ricerca materiale su una diversa regione italiana, raccoglie informazioni su alcuni piatti tipici e presenta alla classe un menu completo che si potrebbe portare in tavola a Palermo, a Firenze o a Bolzano!

- Scegliete una regione che vi interessa.
- Ricercate materiale riguardante la cucina della regione scelta.
- Scegliete una ricetta per un antipasto, un primo piatto, un secondo piatto con contorno e un dessert. Trascrivete poi le ricette sul vostro libro di cucina.
- Presentate e illustrate il vostro menu al resto della classe.

PRIMI PIATTI

Tortelli di zucca

Lombardia

C Ripetiamo un po'!

1 Lavorate in gruppi.

Studiate l'italiano ormai da un po' di tempo e avete già alcune conoscenze dell'Italia. Quali abitudini italiane vi sembrano diverse da quelle del vostro paese?

ESEMPIO In Italia si cena piuttosto tardi.
Da noi il traffico è meno caotico.

2 Leggete.

Gli italiani, si sa, telefonano spesso e volentieri. Con la diffusione dei telefoni cellulari le loro abitudini quotidiane sono un po' cambiate. Leggete il testo e sottolineate le parti del corpo che conoscete. Confrontate con un compagno.

> *Strane figure si aggirano per l'Italia: la Donna Piovra e l'Uomo Polipo. Sono facili da riconoscere. Lei: stringe il telefonino tra l'orecchio e la spalla, regge la borsetta col mento, cerca qualcosa con una mano, tiene il cane con l'altra mano, chiude la portiera col piede. Lui: tiene il cellulare con la sinistra, prende il numero con la destra, segnala a qualcuno con gli occhi, chiude la borsa tra le gambe, stringe il giornale sotto l'ascella. Osservateli attentamente. Sono davvero figli del loro (anzi: del nostro) tempo.*

da: Beppe Severgnini, *Manuale dell'uomo domestico*, Rizzoli

Oggi in tavola: la bagna cauda

● Sapete cos'è ***la bagna cauda***? È una salsa piemontese a base di acciughe, olio, burro e aglio che si serve calda con verdure crude. E ***la caponata***? Un contorno siciliano di melanzane in agrodolce. Sono solo due dei tanti ***piatti regionali*** della cucina italiana. I piatti e i prodotti ancora poco noti all'estero sono moltissimi. Per esempio: tutti conoscono il gorgonzola, ma solo pochi hanno già assaggiato ***il provolone*** o ***la scamorza***. Il prosciutto di Parma e la mortadella? Ormai si trovano in ogni supermercato. Ma quanti hanno provato ***la bresaola*** della Valtellina o ***il capocollo*** dell'Italia centromeridionale?

● Gli italiani amano molto condividere ***i piaceri della tavola*** e mangiano spesso in compagnia. L'invito normalmente non precede di molto l'incontro, soprattutto se si vive nella stessa città. Anche il «rimanete a cena qui» dell'ultimo momento funziona benissimo. Per tirare fuori la mozzarella o i salumi dal frigorifero, tagliare un po' di pomodori o «buttare giù» mezzo chilo di pasta per ***una bella spaghettata*** non ci vuole poi una grande preparazione.

Milano ieri e oggi ...

● Già ai tempi dei Romani l'antica Mediolanum era il centro di intensi ***traffici commerciali*** grazie alla sua posizione strategica a sud delle Alpi, in mezzo ad una delle campagne più fertili d'Italia. Nei primi anni del 1900 lo ***sviluppo industriale*** fa avanzare la crescita economica della città. Nel dopoguerra, con il ***boom economico***, Milano diventa il polo più importante del ***triangolo industriale*** (Milano, Torino, Genova) ed acquista l'immagine che ancora oggi la caratterizza, quella di una città industriale, soffocata dal traffico e dal cemento, ma efficiente e ***all'avanguardia***.

● Chi visita Milano si limita spesso a tappe d'obbligo come ***la Scala*** o ***la Galleria***. Eppure di fronte a piazza del Duomo c'è piazza Mercanti con alcuni degli edifici più antichi della città, poco distante dal Castello Sforzesco si trova ***la Basilica di S. Ambrogio***, la madre delle chiese lombarde e a poche centinaia di metri dal ***quadrilatero della moda*** c'è la bellissima ***Pinacoteca di Brera***. Chi vuole conoscere Milano deve scoprirla, visitare le sue chiese e i suoi numerosi musei, gettare uno sguardo negli eleganti cortili delle case signorili e in quelli più popolari delle ***case di ringhiera***. Deve girare in tram per la città, raggiungere le vecchie aree industriali oggi ristrutturate come la Bicocca, sede della sesta università milanese. Deve uscire dal centro e scoprire gli altri quartieri, come quello dei Navigli, dove ***tradizione*** e ***modernità***, le due facce della Milano di oggi, convivono in un difficile ma riuscito equilibrio.

Quelli della domenica

● *«Perché perché, la domenica mi lasci sempre sola, per andare a vedere la partita di pallone ...»* Era il ritornello di un successo degli anni '60. Ancora oggi tantissimi italiani di domenica corrono dietro al pallone o guardano quelli che lo fanno. Il calcio è ***lo sport nazionale*** e quando gioca l'Italia ai campionati del mondo la vita si ferma. Tuttavia nel ***Bel Paese*** si praticano e si seguono molti sport diversi, ad esempio il ciclismo. In primavera ***il Giro d'Italia*** è proprio sulla bocca o sotto le finestre di tutti. Ma in bicicletta non vanno solo i professionisti: il fine settimana vi può capitare spesso di stare dietro, con la macchina, ai cosiddetti ***ciclisti della domenica***.

Perché non ti informi?

Guardate la schermata del computer.
Chi può essersi collegato a questo sito Internet e perché?

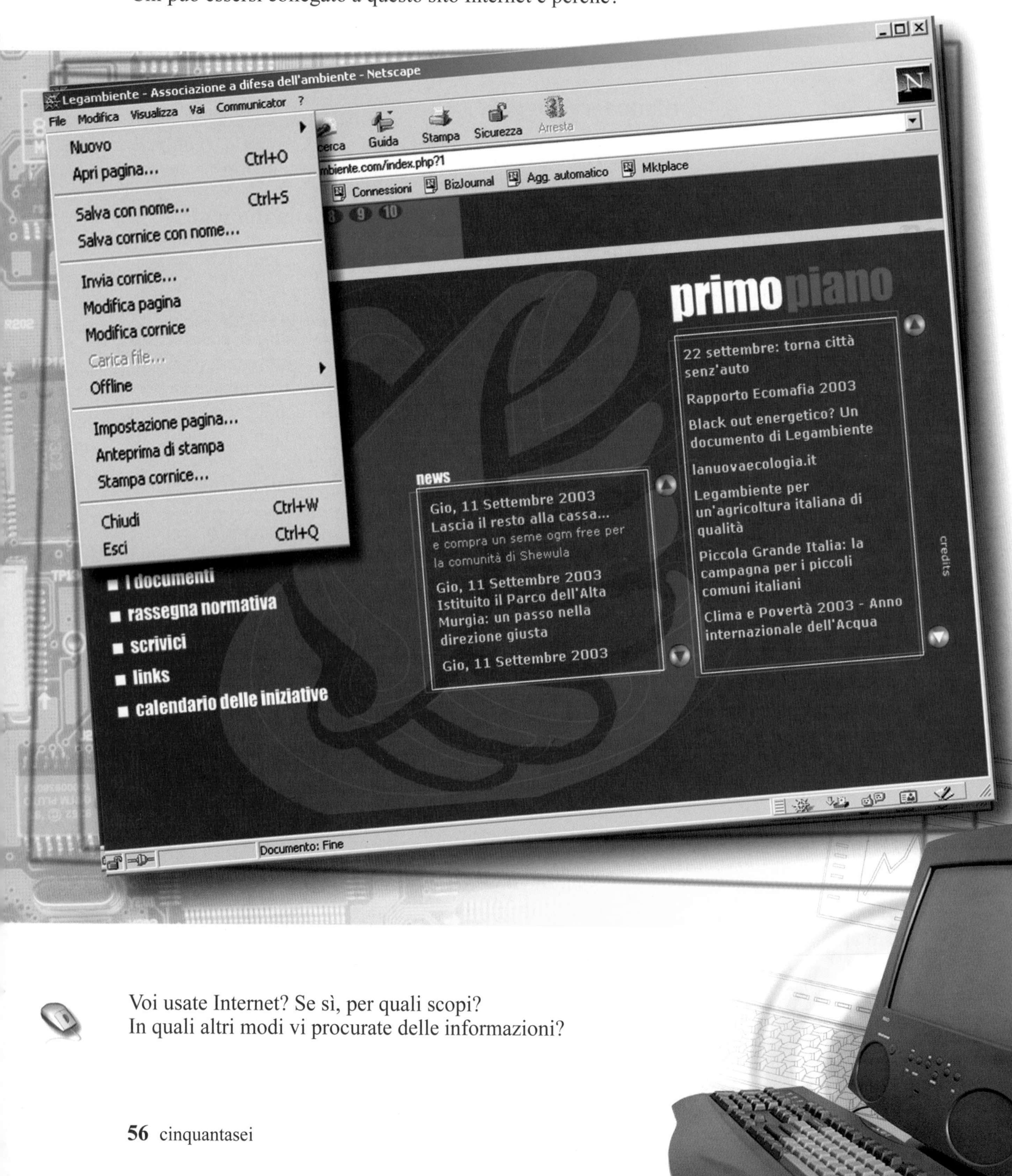

Voi usate Internet? Se sì, per quali scopi?
In quali altri modi vi procurate delle informazioni?

A Vorrei fare il servizio civile.

1 Abbinate.
Collegate i seguenti simboli ai rispettivi comandi.

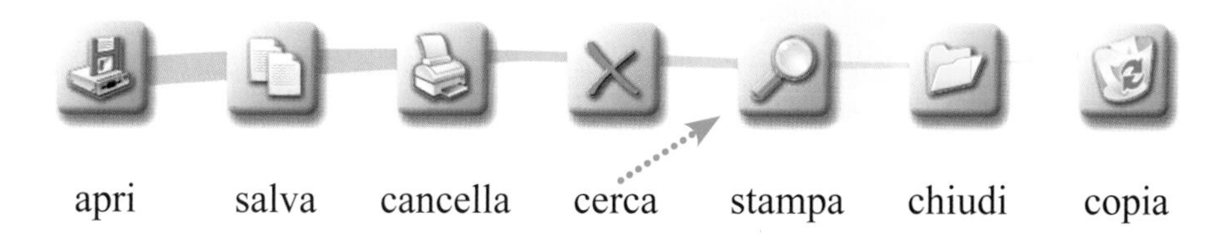

apri salva cancella cerca stampa chiudi copia

2 Ascoltate.
Dove vorrebbe fare il servizio civile Lucia?

○ Lucia?
● Ciao, Riccardo, vieni, vieni! Allora, come va il servizio civile?
○ Bene, è piuttosto impegnativo, ma lo faccio volentieri.
● Ma dove lo stai facendo di preciso?
○ Qui a Genova, alla *Caritas*.
● Ma lo sai che anch'io vorrei fare il servizio civile? Però per un'organizzazione ambientalista. Tu conosci qualcuno che lo sta facendo in questo campo?
○ No, veramente no. Però scusa, perché non ti informi su Internet? Guarda sul sito di *Legambiente* o del WWF.
● Ti dispiace se guardo subito?
○ Ma no, fa' pure ... se vuoi guardiamo insieme.
● Tu lo sai l'indirizzo di *Legambiente*?
○ No, ma cerca su *Virgilio* ... Eccolo: www.legambiente.com. No, aspetta, non cliccare lì, apri direttamente la pagina sul volontariato.
● Ah, guarda, bisogna compilare dei moduli e scrivere una breve domanda.
○ E allora scrivi, no? La cosa sembra interessante.
● Sì, hai ragione ... hmm vediamo dove sono i moduli ...
○ Eh, clicca qui ... Eccoli.

Come si procura informazioni Lucia? Quali motori di ricerca conoscete voi?

3 Completate.

Dov'è	l'indirizzo?	....
	la mail di Pia?	Eccola.

Dove sono	i moduli?	....
	le chiavi?	Eccole.

4 Lavorate in coppia.
State preparando le valigie per un viaggio. Controllate insieme al vostro compagno se avete preso le cose necessarie.

ESEMPIO Hai preso/Dov'è il passaporto?
Sì, eccolo./Eccolo.

5 Completate.
Nel dialogo a pag. 57 ci sono diversi esempi di imperativo.
Inserite le forme della seconda persona singolare accanto agli infiniti.

cercare → ....
scrivere → ....
aprire → ....
venire → ....
guardare → ....
cliccare → non ....

fare → ....
spedire → spedisci
andare → va'
dare → da'
stare → sta'

Perché non ti informi su Internet?
Guarda sul sito di *Legambiente*.
Cerca su *Virgilio*.
Apri la pagina sul volontariato.

Non cliccare lì.
Clicca qui.

Quali differenze notate tra la forma affermativa e negativa?

6 Completate i fumetti vuoti.
Che cosa direste per rispondere alle seguenti domande?

Posso entrare? Ti disturbo?
No, ...!

Ti dispiace se apro la finestra?
No, ... pure.

Come trovo un sito sulla cucina italiana?
.... su *Virgilio*.

Che dici, telefono a *Legambiente*?
No, non ...., scrivi piuttosto una mail.

7 Lavorate in coppia.
Assumete i ruoli di A e B e fate il dialogo.
Le seguenti espressioni vi possono essere d'aiuto.

A

Un vostro amico italiano è venuto a vivere nel vostro paese ma non sa la lingua e non ha le idee molto chiare su cosa fare. Cercate di dargli dei consigli.

Ma scusa, perché non ...?
E allora ..., no?
Sì, hai ragione.
Tu conosci ...?
No, aspetta, ...

B

Avete lasciato da poco l'Italia per trasferirvi all'estero. Chiedete consiglio ad un amico del posto su come trovare lavoro e imparare la lingua.

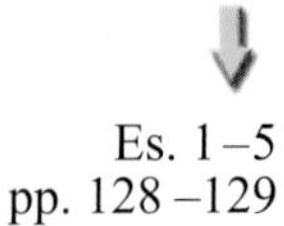
Es. 1–5
pp. 128–129

B A tutela dei cittadini

1  **Leggete.**
Qual è la professione di Teresa Petrangolini?

NO PROFIT un lavoro che diventa una missione

LAVORATORI NEL VOLONTARIATO
Richiestissimi sono i medici, le infermiere, i fisioterapisti, ma anche impiegati amministrativi, segretarie, esperti di marketing e di comunicazione, nonché liberi professionisti come fiscalisti e avvocati.

Teresa Petrangolini è una di loro.

Teresa Petrangolini è segretario generale di *Cittadinanzattiva* (www.cittadinanzattiva.it; tel. 06367181), un movimento di impegno civico nato nel 1978. L'associazione si occupa della tutela dei cittadini in campo sanitario, legale, sociale ed educativo. L'organizzazione informa sui diritti del consumatore, organizza convegni e seminari e realizza campagne di informazione nei settori della salute e dell'ecologia. «Ho fatto alcune esperienze di volontariato subito dopo la laurea in lettere», racconta Teresa. «Solo dopo qualche anno al Ministero degli Esteri, dove ho imparato molto in materia di leggi e diritti, ho deciso di dedicarmi all'associazione a tempo pieno. Questa attività non ti fa certo diventare ricca. Le ore di lavoro non si contano, ma consente una vita dignitosa e dà una grandissima gratificazione personale.»

da: Vera Magazine

Perché Teresa è contenta di lavorare nel volontariato?

2 **Fate una crocetta.**
Rileggete il testo e scegliete l'affermazione corretta.

1. L'associazione *Cittadinanzattiva* si occupa della
   - ☐ difesa dei diritti dei cittadini.
   - ☐ tutela dei beni culturali.
2. Per la sua attività è stata importante
   - ☐ l'esperienza al Ministero degli Esteri.
   - ☐ la laurea in lettere.
3. Teresa ha cominciato il volontariato a tempo pieno
   - ☐ dopo l'università.
   - ☐ dopo l'esperienza lavorativa al Ministero.
4. Per Teresa conta
   - ☐ uno stipendio alto.
   - ☐ la gratificazione personale.

3 **Osservate.**
Rileggete il testo e completate. Che cosa notate?

Ho fatto qualche esperienza .... di volontariato.

Di cosa si occupa l'associazione?
Si occupa della tutela dei cittadini, organizza convegni e seminari e informa sui diritti del consumatore.

Cercate nel testo l'altro esempio con *qualche* e usate *alcuni/alcune* per riformulare la frase.

4 Lavorate in piccoli gruppi.
Raccontate un po' delle vostre esperienze di lavoro, di studio o di volontariato.
Aiutatevi anche con le seguenti espressioni:

ESEMPIO Ho lavorato per qualche anno in campo sociale.

lavorare	campo sociale
studiare	corso di informatica
fare un corso	in una scuola di ...
partecipare	in una casa di riposo
frequentare	in una ditta di ...
dedicarsi	

5 Fate conversazione.
In famiglia, in società, nel tempo libero. Di cosa vi occupate attualmente? A che cosa vi dedicate?

Es. 6–11
pp. 130–131

Ascolto

1 Ascoltate e mettete una crocetta.
Di che tipo di conversazione si tratta secondo voi?

- ☐ una telefonata tra colleghi di lavoro
- ☐ un colloquio di lavoro
- ☐ una conversazione tra amici sul lavoro

2 Lavorate in coppia.
Ascoltate la conversazione. Quali sono le esperienze di studio e di lavoro di Lorenzo? Parlatene con un compagno.

3 Ascoltate e completate.
Inserite nel curriculum vitae di Lorenzo i seguenti elementi al posto giusto.

architettura
corso di formazione
diploma di maturità
inglese
laurea in ingegneria
studio di progettazione
tedesco

CURRICULUM VITAE

Lorenzo Mezzadri
Via Mantova 7/A
43100 Parma
0521 / 679043

Dati personali

Data di nascita	Fidenza, 14/11/1972
Nazionalità	italiana
Stato civile	celibe

Esperienze lavorative

dal 2001	responsabile del reparto design della ditta *Lucos*
1998–2001	impiegato presso lo .... *Ellissi* di Parma

Studi compiuti

1997	.... professionale in design industriale presso l'Istituto Europeo di Design di Milano
1996	.... presso l'Università degli Studi di Bologna
1991	.... classica

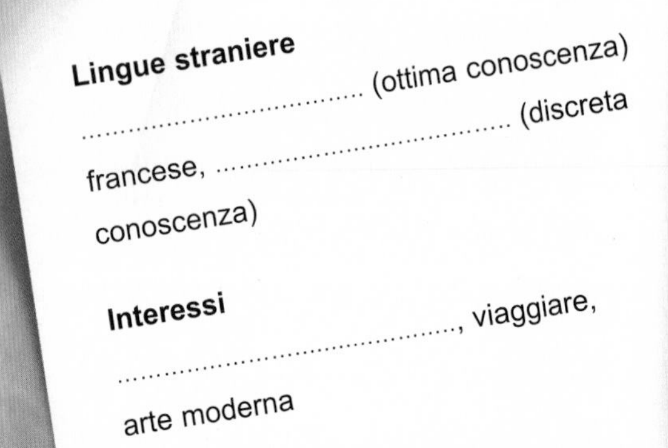

Lingue straniere
.... (ottima conoscenza)
francese, ... (discreta conoscenza)

Interessi
...., viaggiare, arte moderna

C Attenda in linea.

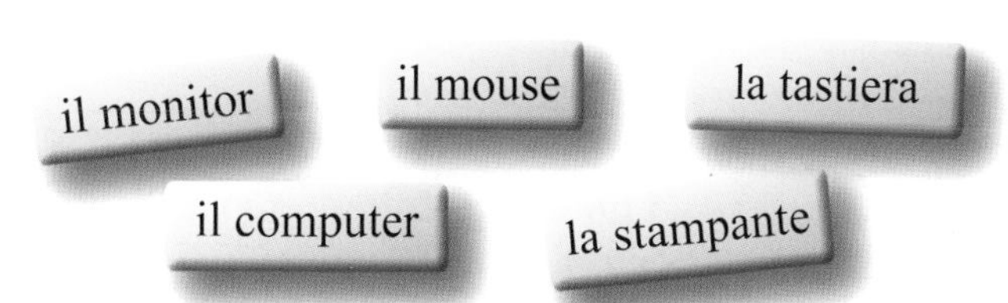

1 Abbinate.
Scrivete le parole al posto giusto.

2 Ascoltate.
Perché il signor Ferri telefona alla Puntocom?

● Puntocom buongiorno.
❍ Buongiorno, sono Gianluca Ferri della Picam. Vorrei parlare con il signor Ravelli.
● Sì, un attimo. Attenda in linea, prego.
...
● Pronto, mi sente?
❍ Sì?
● Guardi, il signor Ravelli purtroppo è da un cliente. Vuol lasciar detto qualcosa?
❍ Sì, per cortesia, gli dica di richiamarmi quando torna.
● Mah, probabilmente torna solo domani. Però Le posso passare il signor Arrighi.
❍ No, veramente preferirei parlare direttamente con il signor Ravelli, perché è stato lui a installare il nostro sistema di computer e adesso le stampanti non funzionano.
● Ah, capisco. Allora, senta, provo a rintracciarlo sul cellulare e gli chiedo se può chiamarLa in giornata, altrimenti La faccio richiamare domani mattina ...
❍ Ecco, sì, faccia così. Però, sia gentile, domattina prima delle undici perché è davvero molto urgente.
● Senz'altro, non si preoccupi.
❍ La ringrazio.
● Di niente. Buongiorno.

3 Completate.
Rileggete il dialogo e inserite le forme mancanti.

Vorrei parlare con il signor Ravelli.
.... in linea.
...................., il signor Ravelli è da un cliente.
...................., provo a rintracciarlo sul cellulare.

dire	→	....
fare	→	....
essere	→	....
dare	→	dia
avere	→	abbia
non preoccuparsi	→	....

4 **Lavorate in coppia.**
Nel vostro ufficio oggi c'è molto da fare. Chiedete ad un vostro collaboratore di svolgere i compiti indicati nella lista.

ESEMPIO Per favore, telefoni alla signora Rossi.

→ telefonare sig.ra Rossi
→ ordinare carta stampante
→ scrivere invito per il sig. Ferrettini
→ dire della riunione alla sig.ra Boffi
→ fare contabilità
→ finire traduzione entro domani
→ cercare numero di telefono dell'ing. Grandi
→ spedire contratto alla Picam
→ Avere un po' di pazienza!!!! ☺

5 **Prendete appunti.**
Leggete il dialogo e completate con le espressioni usate dal signor Ferri.

- Buongiorno.
- ❍ ....
- Vuol lasciar detto qualcosa?
- ❍ ....
- Le posso passare il signor Arrighi.
- ❍ ....
- La faccio richiamare ...
- ❍ ....

6 **Fate dei dialoghi.**
Avete dei problemi con i seguenti apparecchi. Telefonate al centro di assistenza e chiedete aiuto. Fate presente che la cosa è urgente e usate le espressioni date.

la fotocopiatrice
il fax
il portatile/il laptop
la lavatrice
il televisore

non funziona | è rotto | è difettoso | non si accende | fa un rumore strano

7 **Ascoltate.**
Le quattro registrazioni che seguono sono annunci di segreterie telefoniche. Ascoltate, leggete le affermazioni e mettete una crocetta sulla casella opportuna.

		vero	falso
A	Nella casa abitano tre amici.	☐	☐
	È possibile rintracciare le persone al 3397435678.	☐	☐
B	La ragazza dice che richiama appena può.	☐	☐
C	Gli uffici sono aperti dal lunedì al venerdì.	☐	☐
	Non si possono mandare fax.	☐	☐
D	Per parlare con l'operatore si deve digitare 2.	☐	☐

Es. 12–14
pp. 132–133

D Messaggio ricevuto

Abc
Xché non rispondi?!
Opzioni Indietro

Abc
Sono in coda, arrivo + tardi.
Opzioni Indietro

Abc
6 un mito!
Opzioni Indietro

1 Lavorate in coppia.
Guardate questi messaggi. Scrivete e/o ricevete anche voi degli SMS? O preferite altri modi di comunicare?

2 Leggete.
Quali di queste regole vi sembrano particolarmente importanti?

3 Sottolineate.
Cercate nel testo tutte le forme dell'imperativo alla seconda persona plurale. Cosa notate?

4 Lavorate in coppia.
Trascrivete il galateo SMS alla seconda persona singolare.

Il galateo SMS

1. Non dimenticate le buone maniere. Se state parlando con qualcuno evitate di scrivere o leggere un SMS.
2. Non utilizzate gli SMS per mandare al diavolo il vostro partner.
3. Non lasciate il partner se non ha risposto ai vostri SMS.
4. Se siete di pessimo umore state attenti a ciò che scrivete!
5. Non scrivete un SMS se siete alla guida della vostra auto.
6. Non usate le faccine o abbreviazioni da teenager con i vostri superiori.
7. Tenete presente che l'anonimato non è garantito.
8. Se avete bisogno di una risposta immediata, telefonate.
9. Se ricevete un SMS non rispondete dopo un'eternità.
10. Ogni tanto ricordate che per spegnere il telefonino basta premere un tasto!

5 Lavorate in gruppi.
Secondo voi, quali sono le regole più importanti da rispettare all'interno di un corso d'italiano? Scrivete il galateo del vostro corso.

ESEMPIO Se non potete venire a lezione, avvertite un compagno.
Se un altro corsista parla, non interrompete.

6 Date dei consigli.
Cosa consigliereste alle persone nelle foto?

I miei figli adesso sono cresciuti e vorrei avere un'occupazione fuori casa.

Es. 15–16 p. 133

Ricapitoliamo!

Guardate la pubblicità della Società Dante Alighieri. Discutete con un compagno su cosa vi interesserebbe e su cosa potreste fare per richiedere informazioni più dettagliate. Eventualmente potete dividervi i compiti. Scrivete poi una mail alla Società Dante Alighieri con le vostre richieste oppure, se preferite telefonare, preparate una lista con le domande che volete fare.

Si dice così

Chiedere ad un amico il permesso di fare qualcosa

Ti dispiace se guardo subito?	Ma no, figurati.

Ringraziare qualcuno (formale)

La ringrazio.	Di niente.

Dare consigli (plurale)

Non dimenticate le buone maniere.
State attenti a ciò che scrivete.

Invitare/esortare un amico a fare qualcosa

Ciao, Riccardo, vieni, vieni!
Perché non ti informi su Internet?
Guarda sul sito di *Legambiente*.
E allora scrivi, no?

Esprimere cortesemente delle richieste al telefono … (formale)

Vorrei parlare con il signor ...	Il signor ... è da un cliente. Vuol lasciar detto qualcosa?
Per cortesia, gli dica di richiamarmi.	La faccio richiamare domani mattina ...
Però, sia gentile, ... prima delle undici.	Senz'altro. Non si preoccupi.

1. *Ecco* + pronome diretto → 6

note

L'indirizzo di *Legambiente*? – **Eccolo**.
Apri direttamente **la pagina** sul volontariato ... **eccola**.
Vediamo dove sono **i moduli** ... **eccoli**.
Hai trovato altre **informazioni**? – Sì, **eccole**.

2. L'*imperativo* alla 2ª persona singolare (*tu*) → 28, 34

	forma affermativa	*forma negativa*
guard**are**	guard**a**!	non guard**are**!
scriv**ere**	scriv**i**!	non scriv**ere**!
apr**ire**	apr**i**!	non apr**ire**!
sped**ire**	sped**isci**!	non sped**ire**!

fare → ***fa'***, *andare* → ***va'***, *dare* → ***da'***,
stare → ***sta'***, *dire* → ***di'***

3. Gli aggettivi indefiniti *qualche* e *alcuni/-e* → 11

Dopo	**qualche** ann**o** al Ministero **qualche** esperienz**a** di volontariato	ho deciso ...
Dopo	**alcuni** ann**i** al Ministero **alcune** esperienz**e** di volontariato	ho deciso ...

4. L'*imperativo* alla 3ª persona singolare (*forma di cortesia*) → 28, 34

guard**are**	guard**i**
scriv**ere**	scriv**a**
apr**ire**	apr**a**
sped**ire**	sped**isca**

fare → ***faccia***, *andare* → ***vada***, *dare* → ***dia***,
stare → ***stia***, *dire* → ***dica***, *essere* → ***sia***, *avere* → ***abbia***

5. L'*imperativo* alla 2ª persona plurale (*voi* e *forma di cortesia*) → 28, 34

guard**are**	guard**ate**
scriv**ere**	scriv**ete**
apr**ire**	apr**ite**
sped**ire**	sped**ite**

avere → ***abbiate***, *essere* → ***siate***

Riguardo le **Preposizioni** confrontare l'Approfondimento grammaticale. →29

UNITÀ 8

Racconta un po'!

Osservate.
Che cosa stanno raccontando secondo voi le persone?
Di che cosa parlano i testi? Scegliete tra le espressioni proposte.

IL POSTINO

Regia di *Michael Radford* e *Massimo Troisi*, 1994, drammatico

Siamo in Italia, all'inizio degli anni Cinquanta, in una piccola isola del Mediterraneo che ospita Pablo Neruda durante il suo esilio. Mario, figlio di pescatori, diventa il postino personale del poeta. Scopre la poesia e riesce a conquistare il cuore di Beatrice.

Il felino visto nei campi di mais

Caccia alla tigre nel vicentino

VICENZA — Nelle campagne di Vicenza è caccia alla tigre. O almeno a un grosso felino dal manto rossastro avvistato lunedì, tra i campi di mais, da almeno cinque contadini della zona di Quinto Vicentino. La campagna si è trasformata così in uno scenario da safari, con decine di carabinieri e guardie forestali che battevano la zona, anche servendosi di un elicottero. Dalle ultime de-
rizioni l'ipotesi è che non
atti di una vera tigre ma
di una lince sfuggita
lche collezionista di
li esotici. Dopo il pri-
vistamento da parte
anziani allevatori il
o felino è stato visto
a altri tre, nella cam-
a di Gazzo Padova-

- un fatto di cronaca
- l'ultima vacanza
- la trama di un film
- un sogno
- le ultime novità in famiglia o nel vicinato
- il contenuto di un libro
- una barzelletta
- una favola

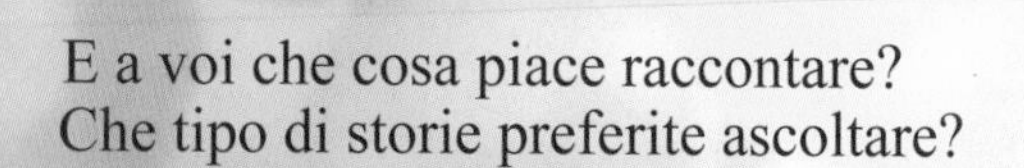

E a voi che cosa piace raccontare?
Che tipo di storie preferite ascoltare?

A Era un pacco con un fiocco rosa ...

1 Lavorate in coppia.
Guardate le illustrazioni, mettetele nell'ordine che vi sembra logico e raccontate poi la vostra storia agli altri.

a *suonare il campanello*

b *essere in solaio*

c *cadere in terra*

d *abbracciarsi*

e *sciogliere il fiocco*

f *sbattere la porta*

g *piangere*

2 Leggete.

Ecco il testo originale della storia. Scrivete nelle caselle la lettera dell'illustrazione che corrisponde alla frase. Tenete presente che all'interno delle frasi l'autore non usa la punteggiatura.

Era un pacco molto bello con un fiocco rosa mio padre ha suonato il campanello ha detto a mia madre buongiorno c'è un pacco per Lei. ○

Mia madre ha sorriso ha preso il pacco lo ha messo sul tavolo si sono abbracciati. ○

Io li guardavo dalla porta della mia camera era bello.

Mia madre ha sciolto il fiocco. ○

Mio padre l'abbracciava.

Mia madre ha tolto lo scotch ha tolto la carta da pacchi.

Mia madre ha fatto una faccia strana.

Mio padre allora ha smesso di abbracciarla è rimasto lì così dietro di lei.

Mia madre ha iniziato a piangere. ○

Mio padre ha chiesto perché amore mio che c'è.

Mia madre ha detto questa non me la dovevi fare.

Mio padre ha detto con la voce che gli tremava questa che cosa amore mio.

Mia madre ha buttato la Pizzamatic per terra. ○

Un giorno mio padre ha visto la pubblicità della Pizzamatic su Antenna Tre Lombardia. C'era un signore con il cappello da cuoco i baffi gridava diceva compratela conviene è come essere in pizzeria tutti i giorni voi vi impastate la vostra pizza in quindici minuti è fatta. Mio padre voleva comprare la Pizzamatic.

Mia madre no.

Quella sera mia madre se n'è andata di casa ha sbattuto la porta è uscita. ○

Mio padre mi ha guardato come un bambino picchiato non ha detto niente.

Poi ha raccolto la Pizzamatic da terra l'ha messa nella confezione e l'ha portata in solaio. ○

da: Aldo Nove, *Amore mio infinito*, Einaudi

3 Discutete.

Perché la situazione ad un certo punto cambia completamente?
Che cosa pensate del comportamento delle persone?

4 Lavorate in coppia.

Secondo voi che regalo si aspettava la madre? E voi, avete mai ricevuto un regalo che non vi aspettavate? Come avete reagito? Raccontate.

5 Rileggete.

Sottolineate nel testo con due colori diversi le forme verbali del passato prossimo e dell'imperfetto. Cercate uno o più esempi in cui:

- si parla di un'azione con un inizio e una fine
- si descrive il contesto che accompagna l'azione
- si descrive un'azione durante il suo svolgimento, senza indicare limiti di tempo
- si esprime un'intenzione, un progetto.

6 Raccontate.
Lo scrittore ha raccontato la storia dal punto di vista del bambino.
Provate ora a raccontarla voi dal punto di vista del padre o della madre.

7 Completate.
Inserite nel testo le forme verbali appropriate
e confrontate con un compagno.

L'anno scorso ho compiuto 50 anni, ma non .... molta voglia di festeggiare. .... soltanto andare al ristorante con Paolo e i ragazzi e fare un brindisi senza tante storie. .... dall'ufficio un paio d'ore prima e .... in centro per comprarmi un regalo, è una cosa che faccio ad ogni compleanno. Però .... forte e .... anche piuttosto freddo. Quindi .... a casa prima del previsto. Le luci .... tutte accese: in cucina le mie sorelle .... l'arrosto, in soggiorno i ragazzi .... i mobili. .... via di corsa, per fortuna nessuno mi .... due ore dopo. Tutto .... tranquillo, nessuno in casa, luci spente. .... la porta, ... Non è stata una vera sorpresa perché .... già tutto. Ma quando improvvisamente .... le luci e tutti .... a cantare «Tanti auguri a te, tanti auguri a te, tanti auguri Francesca, tanti auguri a te ...» è stato lo stesso molto emozionante!

avere
volere
uscire ◆ andare
piovere ◆ fare
tornare
essere
preparare ◆ spostare
andare ◆ vedere
ritornare ◆ sembrare
aprire ◆ entrare
sapere
accendersi ◆ incominciare

8 Prendete appunti.
Ricercate nel testo del punto 7 le espressioni di tempo che accompagnano il racconto e riguardate anche il punto 5 a pag. 47.

9 Lavorate in coppia.
Adesso raccontate al vostro compagno di una giornata particolare che avete vissuto: dove eravate, con chi, perché, che cosa è successo ecc.

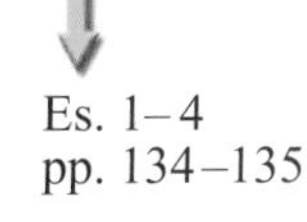

Es. 1–4
pp. 134–135

10 Scrivete.
Scrivete ora un breve testo sulla giornata che avete appena raccontato al vostro compagno.

B A te è piaciuto?

1 Guardate la foto e ascoltate.
Che cosa cercano gli amici sul giornale?

- ● Guarda un po', che cosa danno stasera in televisione?
- ○ Dunque, su Rai Tre c'è *Marrakech Express* di Gabriele Salvatores. Tu l'hai visto?
- ● Mah, mi sembra di no. Di che parla?
- ○ È la storia di quattro amici che si rivedono dopo molti anni per andare ad aiutare un amico comune che è finito in prigione per droga, in Marocco. È con Diego Abatantuono e Fabrizio Bentivoglio.
- ● Ah, sì, ho capito. È un film di cui ho sentito parlare ma che non sono mai riuscito a vedere. Ma a te è piaciuto?
- ○ Sì, mi è piaciuto molto perché è un film sull'amicizia, però non è troppo serio, anzi è divertente. Gli attori poi sono proprio bravi. E anche le musiche mi sono piaciute tanto.
- ● Sai invece che cosa ho rivisto io di recente in televisione? *Johnny Stecchino.*
- ○ Ah, quello di Benigni ...
- ● Sì, ma ti dico la verità, mi ha un po' deluso. Quando lo vedi per la prima volta ti diverti ma la seconda volta non fa più tanto effetto ...

2 Prendete appunti.
Raccogliete nel dialogo le espressioni per parlare di un film.

per informarsi	per esprimere un giudizio
....	....
....	....
....	....
....	....
....	....
....	....

3 Lavorate in gruppi.
Secondo voi quali sono i criteri più importanti per la scelta di un film? Mettete i seguenti fattori in ordine di importanza e discutete le vostre preferenze in gruppo.

- ☐ un buon regista
- ☐ dei bravi interpreti
- ☐ un argomento che vi interessa
- ☐ delle belle musiche
- ☐ una trama avvincente
- ☐ un'attrice/un attore che vi piace particolarmente

4 Lavorate in coppia.
Che cosa vi è piaciuto dell'ultimo film o dell'ultimo spettacolo teatrale che avete visto? Che cosa invece non vi è piaciuto?

(non) mi sono piaciuti/piaciute

(non) mi è piaciuto/piaciuta

5 **Completate e osservate.**
Inserite i pronomi relativi *che* e *cui* al posto giusto.

Hai visto *Marrakech Express*?	
Mi sembra di no ... È un film di .... ho sentito parlare ma .... non sono riuscito a vedere.	Certo! È proprio un bel film.

Rileggete il dialogo e ricercate altre frasi con il pronome *che*.
Quando si usa *che,* quando si usa *cui*?

6 **Lavorate in coppia.**
Chiedetevi a vicenda se avete visto o avete sentito parlare dei seguenti film italiani. Riutilizzate se possibile le espressioni incontrate al punto 5 e dite brevemente qualcosa sui film che conoscete.

ESEMPIO *La vita è bella* parla di un padre che ...
È il film con cui Benigni ha vinto l'Oscar …

LA VITA È BELLA

PER UN PUGNO DI DOLLARI

CARO DIARIO

ROMA CITTÀ APERTA

LA DOLCE VITA

NOVECENTO

pane e tulipani

NUOVO CINEMA PARADISO

C'è un film italiano in questo periodo nelle sale cinematografiche della vostra città?

7 **Lavorate in coppia.**
Raccontate al vostro vicino la trama di un film o di un libro che vi è piaciuto particolarmente.

Es. 5–11
pp. 135–137

Ascolto

1 **Ascoltate.**

La conversazione si svolge: ☐ tra due amiche. ☐ tra due colleghe. ☐ tra madre e figlia.

2 **Ascoltate e mettete una crocetta.**
Quali informazioni sono esatte?

Linda racconta	Linda voleva andare	Linda ha viaggiato	Linda ha sentito la canzone
☐ un sogno.	☐ ad un concerto.	☐ in treno.	☐ a casa della madre.
☐ un film.	☐ ad una festa.	☐ in pullman.	☐ a casa sua.
☐ un viaggio.	☐ alla fiera.	☐ in gondola.	☐ in metropolitana.

3 **Lavorate in gruppi.**
Fate gli psicologi: quale significato potrebbero avere, secondo voi, i seguenti elementi?

la fermata dell'autobus

il tunnel

il pullman con gli anziani

il concerto

C Ho bisogno della prenotazione?

1 Ascoltate.

- ● Prego.
- ❍ Due biglietti di seconda classe per Roma Termini, per sabato.
- ● Andata e ritorno?
- ❍ No, solo andata. Senta, con il treno delle 8.17 bisogna cambiare ad Ancona, vero?
- ● Esatto, ha la coincidenza alle 11.15 e arriva a Roma alle 14.23.
- ❍ Ho bisogno della prenotazione?
- ● Sì, perché è un *Eurostar*.
- ❍ Va bene. Allora due posti non fumatori.

...

- ● Ecco, sono 47,38 euro.
- ❍ Poi mi servirebbero gli orari dei treni da Termini all'aeroporto di Fiumicino.
- ● Sì, un attimo. Guardi, c'è un treno ogni mezz'ora, Lei può prendere quello delle 14.52.
- ❍ E quanto ci mette?
- ● 31 minuti.
- ❍ Ah, benissimo. Mi serve la prenotazione anche lì?
- ● No, per quel treno no.
- ❍ Va bene, grazie.

2 Prendete appunti.

Rileggete il dialogo e raccogliete le espressioni utili per:

chiedere informazioni su un treno	comprare un biglietto ferroviario
....	....
....	....
....	....

3 Completate.

Completate le tre frasi e traducetele nella vostra lingua. Che cosa notate?

.... della prenotazione?

.... la prenotazione anche lì?

.... gli orari dei treni per l'aeroporto.

4 Lavorate in coppia.

Immaginate di partire insieme per una lunga vacanza. Scegliete una meta e fate una lista delle cose che vi servono. Leggete la lista ai vostri compagni: chi indovina dove volete andare?

5 Lavorate in coppia.

Chiedete informazioni sui collegamenti ferroviari tra le seguenti città. Il vostro insegnante vi mette a disposizione gli orari.

- Bolzano – Genova
- Trieste – Milano
- Napoli – Ancona
- Catanzaro – Bari
- Parma – Pescara
- Aosta – Verona

6 Ascoltate.

Vero o falso? Mettete una crocetta.

Allo sportello

	vero	falso
1. La cliente deve andare a Monaco.	☐	☐
2. La cliente vuole partire di sera.	☐	☐
3. Con il treno delle 19.30 deve cambiare una sola volta.	☐	☐
4. La cliente vuole prenotare un posto in cuccetta.	☐	☐
5. La cliente trova un posto solo in vagone letto.	☐	☐

Al binario

	vero	falso
Il treno per Monaco arriva in ritardo.	☐	☐
Il treno per Monaco parte dal binario 8.	☐	☐

Es. 12–13 p. 138

D Come è andato il viaggio?

1 Ascoltate.

Che contrattempo hanno avuto Margherita e Gabriele all'aeroporto?

- ● Pronto?
- ○ Giorgio? Sono Margherita.
- ● Ah, ciao! Siete arrivati? Come è andato il viaggio? Tutto bene?
- ○ Sì, sì, tutto bene ... a parte qualche contrattempo ...
- ● Perché, che cosa è successo?
- ○ Oh, guarda, siamo arrivati a Madrid praticamente in piena notte! Al check-in c'era una fila pazzesca e mentre aspettavamo il nostro turno l'impiegata ha comunicato che l'aereo era completo.
- ● Ma come? Non avevate già i biglietti?
- ○ Sì, ma le compagnie aeree vendono sempre dei biglietti in più. C'è sempre qualcuno che disdice all'ultimo momento.
- ● E allora?
- ○ Beh, abbiamo protestato ma non c'è stato niente da fare. Per fortuna c'era un aereo quattro ore dopo. Ci hanno offerto 500 euro di risarcimento e dei buoni pasto da consumare in aeroporto.
- ● E che avete fatto in quelle quattro ore?
- ○ Prima di tutto abbiamo dovuto fare diverse telefonate. E poi sì, siamo andati a mangiare, abbiamo fatto un giro per i negozi ...
- ● Beh, insomma, non è andata poi così male!
- ○ No, ci siamo quasi rilassati ... figurati che mentre annunciavano l'imbarco del nostro volo noi eravamo ancora in libreria ... alla fine l'aereo l'abbiamo preso.

Voi con quali mezzi preferite viaggiare e perché?

2 Completate.

Mentre aspettavamo il nostro turno l'impiegata .... che l'aereo era completo.

Mentre annunciavano l'imbarco del nostro volo .... ancora in libreria.

In quale di queste frasi le due azioni si svolgono contemporaneamente?
In quale invece una delle due azioni incomincia in un secondo momento?

3 Descrivete la foto.

Guardate la foto accanto al dialogo e descrivetela con l'aiuto delle seguenti espressioni.

leggere il giornale ◆ fumare una sigaretta ◆ guardare il tabellone ◆ annoiarsi ◆ riposarsi ◆ mettersi a chiacchierare ◆ chiedere un'informazione ◆ sedersi

ESEMPIO Mentre Margherita e Gabriele aspettavano il loro turno ...

4 Sottolineate.

Margherita racconta a Giorgio la sua avventura. Ricercate nel testo le espressioni che usa Giorgio per manifestare il suo interesse e per invitare Margherita a continuare il racconto.

5 Lavorate in coppia.

È capitato anche a voi un contrattempo durante un viaggio o in un'altra situazione? Raccontate.

Es. 14–16
p. 139

Ricapitoliamo!

Pensate a qualcosa che vi è accaduto e che raccontate volentieri. Descrivete questo avvenimento con una sola frase. I compagni del vostro gruppo vi pongono delle domande per conoscere il maggior numero possibile di dettagli.

Si dice così

Informarsi su un film/uno spettacolo

Che cosa danno stasera ...?	Su Rai Tre c'è ...
Di che parla?	È la storia di ...

Chiedere un giudizio su un film/uno spettacolo/un libro

A te è piaciuto?	Sì, mi è piaciuto molto. Ti dico la verità, mi ha un po' deluso.

Alla stazione: chiedere informazioni

Mi servirebbero gli orari dei treni.
Bisogna cambiare ad Ancona, vero?
Quando c'è la coincidenza per Roma?
Ho bisogno della prenotazione?
Quanto ci mette il treno?

Alla stazione: comprare un biglietto ferroviario

Due biglietti di seconda classe per ...
Andata e ritorno.
Due posti non fumatori.

Motivare una persona a raccontare

Com'è andato il viaggio? Tutto bene?
Perché, che cosa è successo?
Ma come?
E allora?
E che cosa avete fatto?

Giungere ad una conclusione

Beh, insomma, non è andata poi così male.

Grammatica

1. *Imperfetto* e *passato prossimo*: uso → 24

Mio padre **ha suonato** il campanello.
Mia madre **ha sorriso**.

Io li **guardavo** dalla porta.
C'era un signore con il cappello da cuoco.

2. Il *passato prossimo* del verbo *piacere* → 20

Quel film mi **è piaciuto** molto.
La storia non ti **è piaciuta**?
Alcuni attori non ci **sono piaciuti**.
Le musiche mi **sono** proprio **piaciute**.

3. I pronomi relativi *che* e *cui* → 8

La signora **che** abitava lì si è trasferita.
I due libri **che** ho letto erano molto interessanti.
È un attore **di cui** ho sentito parlare.
La ragazza **con cui** esco si chiama Gina.

4. *Aver bisogno di* → 17

Ho bisogno di un'informazione.
A Carla **serve** una macchina nuova.
Le **servono** gli orari dei treni?
Il treno **ci mette** mezz'ora.

5. *Imperfetto* e *passato prossimo* nella frase → 23

Azioni contemporanee	*Azioni non contemporanee*
Mentre aspettavo leggevo il giornale.	**Mentre** aspettavo è passato Claudio in moto.

note

UNITÀ 9 *Ripasso*

A Giochiamo a filetto!

Siete a cena a casa di amici italiani. Vi hanno preparato delle cose squisite e volete fare dei complimenti al cuoco o alla cuoca. Che cosa dite?

Alla stazione chiedete informazioni su un collegamento ferroviario (orari, prenotazione, coincidenze ecc.).

C'è qualcosa che non funziona nel vostro computer. Chiedete gentilmente aiuto al vostro compagno esperto.

Vorreste parlare con la dottoressa Motti ma in ufficio c'è solo la sua segretaria. Cercate di rintracciarla nel più breve tempo possibile.

La signora Bertolini, che non vedete da tempo, vi ha mandato un biglietto d'auguri per il vostro compleanno. Le telefonate per ringraziarla.

Stasera vorreste andare al cinema ma non avete ancora deciso quale film vedere. Chiedete al vostro compagno com'era il film che ha visto poco tempo fa.

In un colloquio di lavoro spiegate qual è la vostra occupazione attuale e quali sono state le vostre occupazioni precedenti.

Il vostro volo è partito in ritardo e avete perso la coincidenza per il volo successivo. Protestate e chiedete un risarcimento.

1 Lavorate in gruppi.
Si gioca in quattro, due contro due. Ogni coppia sceglie dei segnaposti, ad esempio pezzetti di carta. Scopo del gioco è occupare quattro caselle sulla stessa riga: verticale, orizzontale o diagonale. Ogni coppia sceglie una casella a piacere e se svolge correttamente il compito richiesto la può occupare. Chi sceglie una casella con un'indicazione scritta deve svolgere il compito richiesto. Chi invece sceglie una casella con una foto può improvvisare un breve dialogo in base alla situazione raffigurata.
Attenzione: cercate di interrompere le righe della coppia avversaria!

B Fondiamo insieme un'associazione!

1 Lavorate in gruppi.
Conoscete già molti aspetti dell'Italia: la sua cultura, la sua gente, le tradizioni, il paesaggio. Ma c'è ancora tantissimo da scoprire e farlo insieme ad altri è più divertente. Decidete cosa vi interessa maggiormente e fondate un'associazione con chi condivide le vostre stesse passioni.

- Decidete che tipo di associazione vorreste fondare: culturale, musicale, sociale, sportiva o altro.
- Decidete lo scopo dell'associazione: cosa vuole diffondere, riscoprire, sostenere.
- Organizzate il programma invernale o estivo dell'associazione:
  - attività (manifestazioni, concorsi, scambi);
  - date e luoghi;
  - prezzi;
  - possibilità di partecipazione;
  - prenotazione.
- Presentate la vostra associazione e il vostro programma alla classe.

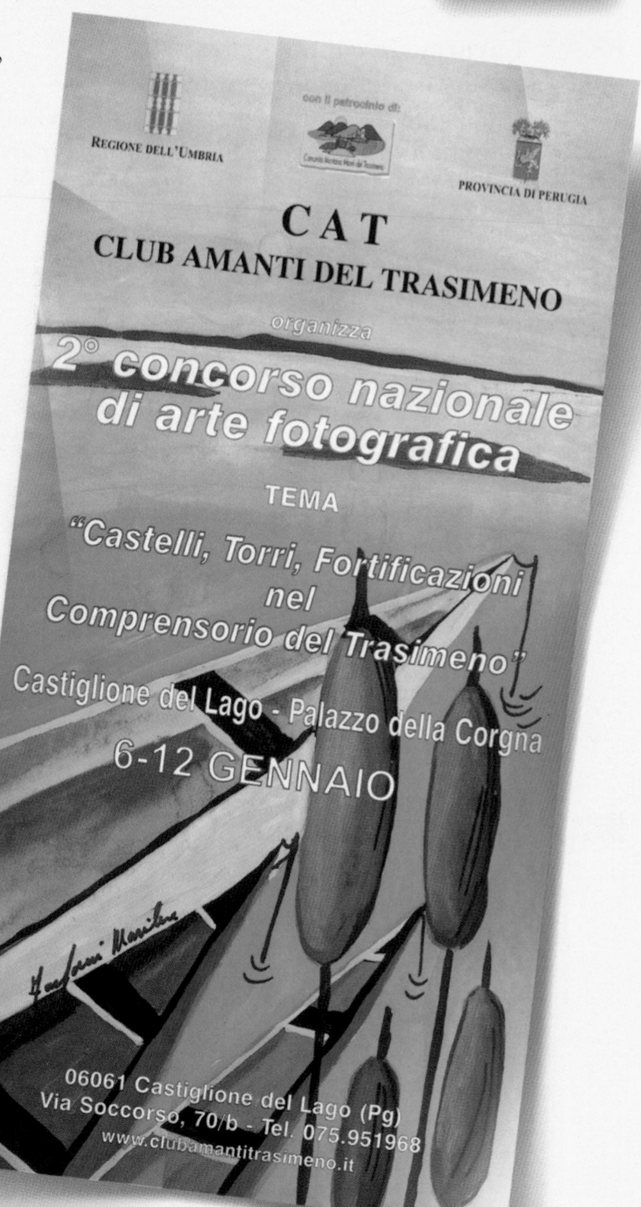

C Ripetiamo un po'!

1 Lavorate in coppia.
Leggete le seguenti pubblicità e ispiratevi a queste per scrivere uno slogan o un breve testo pubblicitario per un prodotto a vostra scelta.

Autolloyd.
L'evoluzione dell'assicurazione auto

CONVENIENZA Fa' un preventivo gratuito per scoprire senza impegno quanto puoi risparmiare.

SICUREZZA Affidati all'esperienza di un grande gruppo assicurativo.

LIBERTÀ Scegli se usare il telefono o Internet e decidi ogni anno se meritiamo la tua fiducia.

TUFFATI NELLA NATURA!

Chiudi gli occhi, respira a fondo e abbandonati alla dolcezza dei bagnoschiuma e docciaschiuma dell'Antica Erboristeria.

2 Lavorate in coppia.
Osservate le seguenti foto e cercate di immaginare la situazione raffigurata. Raccontate brevemente qualcosa su ogni foto. In ogni piccola storia devono essere presenti le parole indicate sulla foto stessa.

ad un certo punto
dopo

l'estate scorsa
quest'anno

mentre
improvvisamente

3 Lavorate in gruppi.
Scegliete otto dei seguenti sostantivi e con questi scrivete una storia.
Leggetela in plenum. Chi ha scritto la storia più avvincente, buffa o fantasiosa?

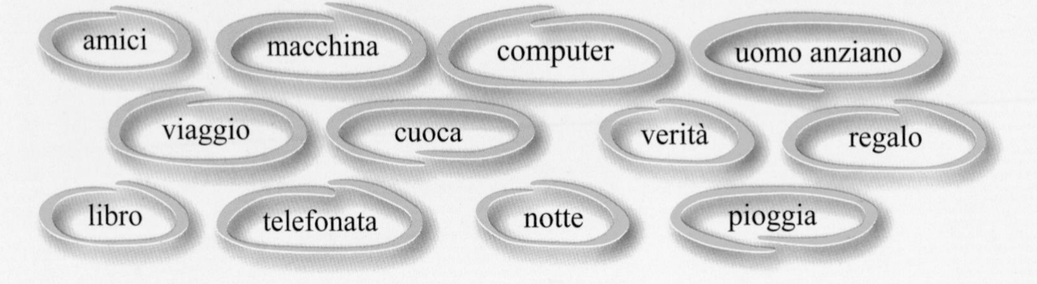

I magnifici set

- L'Italia ha sempre offerto ***scenografie naturali*** di tutti i tipi ai grandi del cinema. Le isole, per esempio, hanno ospitato ***set famosi***. *Il postino* ha come sfondo l'isola di Salina, *Stromboli* di Rossellini l'isola omonima, *Caro diario* di Moretti l'isola di Alicudi, di Vulcano e altre isole Eolie.
- Ma anche le piccole città sono entrate nel ***mondo del cinema***: ad esempio Matera che, con i suoi Sassi, fa da sfondo al *Vangelo secondo Matteo* di Pier Paolo Pasolini. E ancora Rimini, ***la provincia*** del grande Fellini, protagonista di tante pellicole, tra le quali tutti ricordano *Amarcord*.
- Infine ***la grande capitale***, il cuore del cinema italiano, che accoglie a Cinecittà ***gli studi cinematografici*** più importanti del paese, ritratta dal cinema in tutte le sue sfumature. Tra le tante, quella particolare della Roma deserta dei *Ladri di biciclette* di De Sica e l'indimenticabile Fontana di Trevi de *La Dolce Vita*.

In treno o in barca attraverso i parchi

- In Italia ci sono 20 ***parchi nazionali*** e numerosi ***parchi regionali***. Il parco del Gran Paradiso, quello dello Stelvio, il Parco Nazionale d'Abruzzo e quello del Cilento sono tra i più conosciuti. Oltre ai parchi naturali esistono diverse ***riserve marine***, tratti di mare e costa con caratteristiche ambientali e paesaggistiche eccezionali nell'area del Mediterraneo. Tra queste la riserva di Ventotene e Santo Stefano nel Lazio, quella delle Cinque Terre in Liguria o quella di Capo Rizzuto in Calabria.

- Gli italiani sono sempre più sensibili al tema dell'***ambiente*** e numerose associazioni si occupano della sua ***salvaguardia***. Ogni estate, ad esempio, la Goletta Verde di *Legambiente* si sposta lungo ***le coste della penisola***. Al termine del suo viaggio i cinque comuni costieri che hanno ***il mare più limpido*** e ***le spiagge più pulite*** ottengono in premio *le cinque vele*, mentre i *pirati del mare* ricevono le bandiere nere che indicano i casi di maggiore sporcizia.

Dopo la scuola

- I ragazzi italiani che dopo ***la scuola dell'obbligo*** scelgono subito la via del lavoro, generalmente cominciano con un breve periodo di ***apprendistato*** che dura solo qualche mese. Quelli che invece decidono di continuare la scuola finiscono a 19 anni con il ***diploma di maturità***. Dopo ***le superiori*** si sceglie di nuovo tra ***il mondo del lavoro*** e l'università. Per facilitare l'accesso al mondo del lavoro ci sono corsi di formazione professionale che avviano sia i quindicenni che i ***neolaureati*** al termine dell'università ai diversi ***settori professionali***. Chi dopo il diploma o la laurea aspira ad un posto di ***impiegato statale*** deve partecipare ad un ***concorso pubblico*** e dimostrare le proprie conoscenze, in una o più prove scritte.
- Il ***servizio militare*** e quello civile, volontari dal 2005, si possono fare anche dopo la laurea.

FRIMM
OBIETTIVO
LAVORO News
Edizione Nazionale
ESCE IL LUNEDI'
€ 1,00
SENATO DELLA REPUBBLICA
60 Diplomati
Concorso Pubblico
Il punto
Chi si ferma e chi parte
110 operatori call center
Concorsi

UNITÀ 10

Andrà tutto bene!

Osservate e leggete.
Guardate le vignette. Chi esprime un atteggiamento positivo verso il futuro? Chi invece è preoccupato o pessimista?

Discutete.
Quale delle frasi contenute nelle vignette potrebbe essere la vostra? Perché?

A Mi basterà?

1  **Leggete.**
Che cosa ha festeggiato Alba?

ledonneparlano
di Miriam Mafai

Oggi ho dato l'addio ai colleghi di una vita con una festa: baci, abbracci, qualche lacrima. Ero così contenta. Poi, una tristezza schiacciante: molti li ho conosciuti da ragazzi e improvvisamente li ho visti vecchi, grassi, un po' calvi. Ho amato tanto il mio lavoro, ma ho anche tanto desiderato l'arrivo della pensione. Stasera però mi chiedo: cosa farò? Dove andrò domattina? Con chi litigherò? Con chi discuterò dei fatti della giornata? Certo, ci sono gli amici, il marito (con cui abbiamo già programmato almeno due splendidi viaggi), i nipotini. Mi basterà? O mi sentirò, tra poco, una vecchia inutile? (Alba)

<u>Dipenderà da lei, cara Alba.</u> Solo e unicamente da Lei. Da quanto Lei sarà capace di tenere vive dentro di sé curiosità per quel che accade nel mondo, passione per ciò che finora Le ha dato piacere: i viaggi, l'arte, le buone letture, l'interesse a coltivare le relazioni umane. Cioè da quanto si applicherà in questo nuovo lavoro che è sopravvivere bene all'età della pensione. Si faccia coraggio. Vedrà che andrà tutto bene. Le faccio molti auguri.

da: Grazia

2 Rispondete.
Che sensazioni ha provato Alba durante la festa?
Quali sono i suoi programmi per il futuro?
Che cosa è importante secondo la giornalista per vivere bene l'età della pensione?

3 Osservate e completate.
Nei testi avete incontrato un nuovo tempo verbale, il futuro.
Inserite le forme accanto agli infiniti.

discutere
discuterò
discuterai
discuterà
discuteremo
discuterete
discuteranno

litigare	....
vedere	....
essere	....
avere	avrò
potere	potrò
rimanere	rimarrò

Ho tanto desiderato l'arrivo della pensione.
Stasera però mi chiedo:
Dove andrò domattina?
Cosa farò?
Mi basterà?
Come mi sentirò?

4 Fate delle ipotesi.
Quali domande si pongono secondo voi queste persone

- al momento di cominciare un nuovo lavoro,
- all'inizio di una vita in comune,
- prima della nascita di un bambino?

5 **Prendete appunti.**
Rileggete la risposta della giornalista. Quali espressioni usa per incoraggiare Alba?

....

....

....

6 **Lavorate in coppia.**
Scegliete una delle due situazioni qui accanto e cercate un compagno che ha scelto come voi. Scrivete insieme una lettera al giornale per chiedere consiglio. Scambiate le lettere con altre coppie e scrivete la risposta.

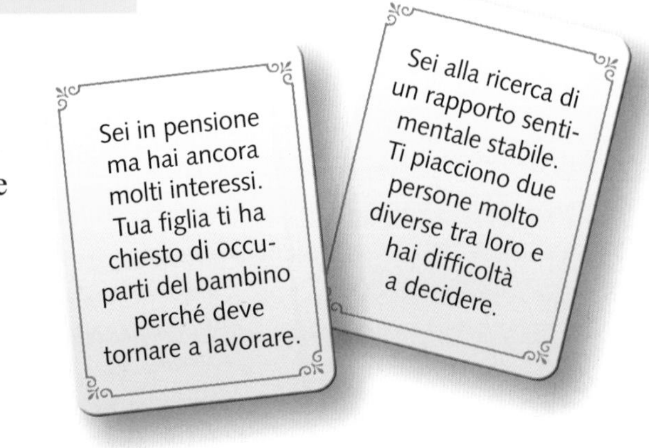

7 **Lavorate in coppia.**
Il vostro compagno assume il ruolo di una chiromante o di un mago e vi legge il futuro.

Es. 1–5
pp. 140–141

B Vado a vivere con Carla.

1 **Ascoltate.**

Cosa ha intenzione di fare Cristiano prossimamente?

● Pronto?
○ Ciao, Cristiano. Sono Emilio. C'è Tommaso?
● Oh, ciao, Emilio. No, papà non c'è.
○ Quando lo posso trovare?
● Torna domenica, è fuori solo per qualche giorno.
○ Ho capito. E tu? Dimmi un po' ... ho sentito che ci sono delle novità.
● A che ti riferisci?
○ Eh, ho saputo che hai intenzione di andare a vivere con Carla.
● Ah, sì! Però ancora non c'è niente di concreto.
○ Beh, comunque vi siete decisi ...
● Ma sai, ora che anche Carla ha trovato lavoro non c'è più motivo di aspettare ...
○ State già cercando casa?
● No, per il momento no. Abbiamo pensato di cominciare a cercare dopo le vacanze.
○ Eh sì, dopo l'estate avrete senz'altro più scelta. Comunque per qualsiasi cosa fammi sapere.
● Sì, infatti ci avevo già pensato. Magari potremmo passare da te in agenzia in settembre.
○ Certo. Chiamatemi pure quando volete e ci mettiamo d'accordo.
● Va bene. Ti ringrazio.
○ Ma figurati! Adesso ti saluto. Se senti papà digli che lo richiamo lunedì sera.
● Sì, però non chiamarlo troppo tardi perché lunedì sera va a giocare a calcetto, lo sai.
○ Ah, va bene, grazie. Ciao, Cristiano. Stammi bene ...
● Ciao, Emilio ... a presto.

Per quale motivo Emilio e Cristiano si incontreranno probabilmente in settembre?

2 **Osservate.**
Rileggete il dialogo e completate con le espressioni mancanti.

Ho saputo che .... andare a vivere con Carla.	
Sì,	.... cominciare a cercare dopo le vacanze. probabilmente cominceremo a cercare dopo le vacanze.

3 **Lavorate in coppia.**
Assumete i ruoli di Carla e Cristiano e insieme fate progetti per la vostra vita in comune. Riferite poi in plenum dove pensate di andare ad abitare e come avete intenzione di organizzarvi.

4 **Lavorate in gruppi.**
Immaginate la vostra vita tra dieci anni e con l'aiuto dei seguenti elementi dite come potrà essere.

abitare
lavorare
avere
essere
andare
fare

sicuramente
senz'altro
probabilmente
forse
magari

5 **Osservate e sottolineate.**
Rileggete il dialogo e completate lo specchietto.

Cristiano, dimmi un po' ... ho sentito che ci sono delle novità.
Per qualsiasi cosa .... sapere.
.... pure quando volete.

Sottolineate nel dialogo le altre forme dell'imperativo in combinazione con i pronomi. Che particolarità notate?

6 **Completate.**
Inserite nel testo della mail i seguenti verbi.

chiedile ◆ dille
fammi ◆ salutami
chiamala

Ciao Cristiano,

volevo darti una notizia. C'è un bell'appartamento in centro che si libera tra un mese. È di una mia amica, Giovanna Spertoli, tel. 07123648756. .... e .... quando potete andare a vederlo. .... che ti mando io e .... poi sapere com'è andata.
.... Carla. A presto

Emilio

7 **Lavorate in coppia.**
Che cosa direste a
- una persona simpatica che avete conosciuto in vacanza e con cui volete restare in contatto,
- una vostra amica che vuole uscire con un collega che le piace e non sa come comportarsi?

Dammi il tuo indirizzo ...

Invitalo a prendere un caffè ...

8 Prendete appunti.
Ricercate nel testo di pagina 82 le battute di Emilio.

● Pronto?
○ ....
● Ah, ciao, Emilio. No, papà non c'è.
○ ....
● Torna domenica.
○ ....
● Sì, però non chiamarlo troppo tardi ...

9 Lavorate in coppia.
Assumete i ruoli di A e B e fate il dialogo al telefono.

Es. 6–10
pp. 141–143

A Volete parlare con Marina. Vi risponde il marito e vi dice che lei non c'è. Dato che dovete parlarle urgentemente chiedete se potete rintracciarla e come.

B Un amico di vostra moglie telefona per parlare con lei. Vostra moglie è fuori per un seminario e torna giovedì. Durante la giornata ha il cellulare spento e lo accende solo dopo le 18.00.

Lettura

1 Leggete.
Leggete la poesia *Vieni presto* di Alberto Amoroso. A chi si rivolge secondo voi?

Vieni presto

Vieni presto e resta con me,
ti porterò là dove il mare
incontra e sposa il cielo.

Vieni presto e resta con me,
piacere e gioia ritroverai
che forse ancora ricorderai.

Vieni presto e resta con me,
nella piccola casa con il giardino
in mezzo ai fiori sarai regina.

Vieni presto e resta con me,
anche un solo istante, fatti rapire
dai miei sogni e poi sparire.

Vieni presto e resta con me,
ma fallo presto per favore,
l'amore è grande ma può finire.

2 Sottolineate e discutete.
Sottolineate nelle prime tre strofe della poesia le frasi in cui lo scrittore immagina i luoghi dell'incontro con la persona amata e le sensazioni che questa proverà.
Nelle ultime due strofe al sogno subentra l'incertezza. Di che cosa ha paura l'autore?

3 Scrivete.
«Vieni presto e resta con me ... ». Completate le strofe della poesia con parole vostre.
Se volete, scegliete da ogni strofa una parola da riutilizzare.

4 Ascoltate.
Ascoltate come adesso l'autore recita la poesia e ne parla in una breve intervista.

C Il sogno nel cassetto

1 Leggete.

Che cosa sognano le persone intervistate?

Mettere su un'attività in proprio o fare il giro del mondo in barca a vela. Sono questi i sogni nel cassetto degli italiani. È quanto emerge da un sondaggio su un campione di circa 1000 persone tra i 18 e i 65 anni.

Luca Marinelli, 18 anni.

Io di sogni ne ho due: trovare subito dopo la maturità un buon posto di lavoro e guadagnare bene per comprarmi una bella Ferrari rosso fiamma! Forse con una laurea potrei trovare un posto di lavoro migliore ma non ho voglia di aspettare ...

Guglielmo Fraschi, 39 anni.

Anch'io avevo un sogno nel cassetto. L'ho realizzato proprio un anno fa con una traversata dell'Atlantico in barca a vela, in solitario. È stata un'esperienza indimenticabile che desideravo fare da quando avevo 18 anni. Una vera e propria avventura. Adesso sto per ripartire per un viaggio più breve e questa volta verrà con me anche la mia compagna.

Caterina Megna, 45 anni.

Sogno da tempo di aprire un bed & breakfast sul Lago di Como, nella casa dei miei suoceri. Mio marito dice che è una buona idea e anche i soldi ci sarebbero, io però sono ancora un po' insicura. Dovrei riflettere meglio ... anche se la cosa migliore sarebbe non riflettere per niente e buttarsi!

Quale di questi sogni potreste condividere?
Quale non potrebbe assolutamente essere vostro?

2 Completate e osservate.

Rileggete i testi di Luca e Caterina e completate le frasi.

Il mio sogno è trovare un .... posto di lavoro dopo la maturità e guadagnare ....
Lo so che con una laurea potrei trovare un posto ....
Dovrei riflettere ....

3 Completate e scegliete.

Sogni, desideri e opinioni alla rinfusa: completate le frasi con *buono, bene, migliore* e *meglio* e scegliete il vostro motto!

Un nuovo amore è la cosa .... per dimenticare un amore finito male!

I primi vent'anni sono gli anni .... della vita.

Un .... amico è più importante di un grande amore.

Una .... insalata fa bene ma un bel piatto di spaghetti fa stare .... !

Per vivere .... basta avere un .... lavoro.

4 Completate e raccontate.

Come si esprime Guglielmo Fraschi per dire che farà un viaggio nell'immediato futuro?

Adesso .... per un viaggio più breve.

E voi, che cosa state per fare, nella vita o semplicemente in questa giornata?

5 Lavorate in gruppi.

Avete anche voi un sogno nel cassetto? Quale?

Es. 11–12
pp. 143–144

D Ne prenda due prima di partire.

1 Ascoltate.

Dove si trova la cliente secondo voi?

- ● Buongiorno.
- ○ Buongiorno, signora. Mi dica.
- ● Domani facciamo una gita in barca a vela e avrei bisogno di qualcosa per il mal di mare. Che cosa mi può consigliare?
- ○ Contro il mal di mare Le posso dare queste pastiglie.
- ● E quante ne devo prendere?
- ○ Ne prenda due un'ora prima di partire.
- ● Hanno effetti collaterali?
- ○ Possono dare un po' di sonnolenza ma è una cosa lieve.
- ● Ah, capisco.
- ○ Le serve altro?
- ● Sì, mi dia anche una pomata contro le punture di insetti. Da noi in campeggio la sera è pieno di zanzare.
- ○ Guardi, questa pomata qui è molto efficace, ne basta poca e il prurito Le passa immediatamente. Se invece vuole prevenire le punture potrebbe prendere uno di questi spray.
- ● Va bene, allora prendo anche lo spray. Ah, mi dà anche delle aspirine? Non ne ho più ...

Di quale disturbo soffre la cliente?

2 Abbinate.

Queste persone non stanno molto bene. Che cosa hanno?

1. mal di testa	4. mal di stomaco
2. mal di denti	5. la febbre alta
3. la tosse	6. il raffreddore

3 Completate.

Quante pastiglie devo prendere?
.... prenda .... un'ora prima di partire.

Mi dia anche una pomata.
Questa qui è molto efficace, ... basta ....

4 Fate una piccola inchiesta.

Chi vive in modo più sano? Chi vive in modo meno sano ... ed è contento così?
Ponete le seguenti domande ai vostri compagni.

	Anna
Quanta acqua / Quanti caffè / Quanto tè bevi al giorno?	1l / 4
Quanta frutta, verdura, carne, pasta mangi alla settimana?	....
Quanti dolci mangi al giorno?	....
Fumi? Se sì, quante sigarette al giorno?	....

5 Prendete appunti.

Rileggete il dialogo e raccogliete le espressioni che usa la cliente per chiedere quello che le serve.

....

....

....

....

6 Lavorate in coppia.

Ognuno di noi ha qualche piccolo disturbo. Dite al vostro compagno di che cosa soffrite e chiedetegli se ha qualche consiglio da darvi.

7 Trascrivete.

Riportate, nelle righe sottostanti, le frasi del dialogo che contengono forme di imperativo alla 3ª persona singolare.

....

....

....

Confrontate le forme dell'imperativo alla 3ª persona singolare con quelle della 2ª persona a pag. 82. Che cosa notate?

8 Ascoltate.

In quali dialoghi le persone si danno del tu?
In quali del Lei?
Quando si rivolgono a più persone?
Mettete una crocetta al posto giusto.

	1.	2.	3.	4.	5.	6.
tu	☐	☐	☐	☐	☐	☐
Lei	☐	☐	☐	☐	☐	☐
voi	☐	☐	☐	☐	☐	☐

Es. 13–16
pp. 144–145

 Ricapitoliamo!

Scrivete su un foglietto il vostro segno zodiacale. L'insegnante raccoglie i foglietti e li ridistribuisce. Ciascuno inventa e scrive l'oroscopo per il prossimo anno relativo al segno zodiacale indicato. Alla fine ognuno riceverà l'oroscopo per il proprio segno.

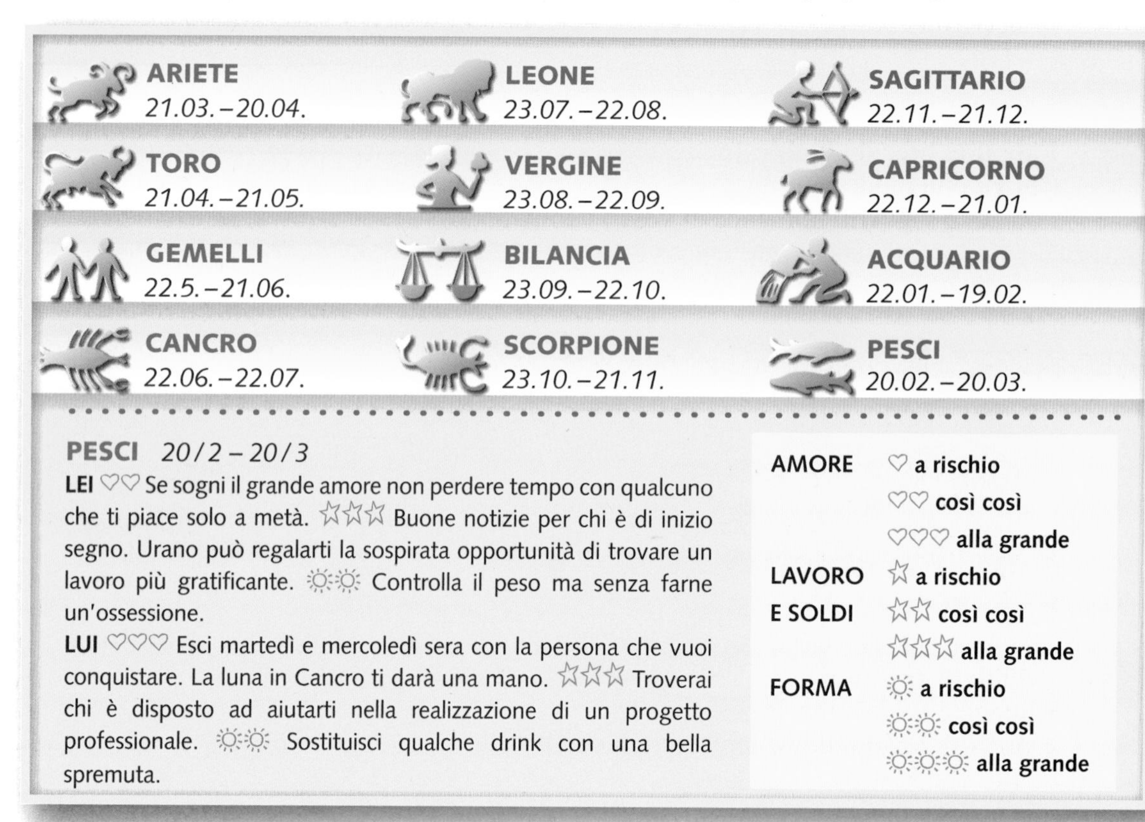

ARIETE 21.03.–20.04.	LEONE 23.07.–22.08.	SAGITTARIO 22.11.–21.12.
TORO 21.04.–21.05.	VERGINE 23.08.–22.09.	CAPRICORNO 22.12.–21.01.
GEMELLI 22.5.–21.06.	BILANCIA 23.09.–22.10.	ACQUARIO 22.01.–19.02.
CANCRO 22.06.–22.07.	SCORPIONE 23.10.–21.11.	PESCI 20.02.–20.03.

PESCI *20/2 – 20/3*

LEI ♡♡ Se sogni il grande amore non perdere tempo con qualcuno che ti piace solo a metà. ☆☆☆ Buone notizie per chi è di inizio segno. Urano può regalarti la sospirata opportunità di trovare un lavoro più gratificante. ☼☼ Controlla il peso ma senza farne un'ossessione.

LUI ♡♡♡ Esci martedì e mercoledì sera con la persona che vuoi conquistare. La luna in Cancro ti darà una mano. ☆☆☆ Troverai chi è disposto ad aiutarti nella realizzazione di un progetto professionale. ☼☼ Sostituisci qualche drink con una bella spremuta.

AMORE	♡	a rischio
	♡♡	così così
	♡♡♡	alla grande
LAVORO E SOLDI	☆	a rischio
	☆☆	così così
	☆☆☆	alla grande
FORMA	☼	a rischio
	☼☼	così così
	☼☼☼	alla grande

da: Donna Moderna

Si dice così

Porsi domande sul futuro

Cosa farò?
Dove andrò?
Come mi sentirò?

Incoraggiare qualcuno

Si faccia coraggio.
Vedrà che andrà tutto bene.
Le faccio molti auguri.

Offrire aiuto

Per qualsiasi cosa fammi sapere.
Chiamatemi pure quando volete.

Chiedere un consiglio in farmacia

Avrei bisogno di qualcosa per/contro ...
Quante ne devo prendere?
Hanno effetti collaterali?

Al telefono (confidenziale)

Ciao, sono Emilio. C'è Tommaso?
Quando lo posso trovare?
Digli che lo richiamo lunedì sera.

No, non c'è.
Torna domenica.
Sì, però non chiamarlo troppo tardi.

1. Il *futuro semplice* → 26, 34

	cambiare	discutere	partire
io	cambi**erò**	discut**erò**	part**irò**
tu	cambi**erai**	discut**erai**	part**irai**
lui, lei, Lei	cambi**erà**	discut**erà**	part**irà**
noi	cambi**eremo**	discut**eremo**	part**iremo**
voi	cambi**erete**	discut**erete**	part**irete**
loro	cambi**eranno**	discut**eranno**	part**iranno**

avere → ***avrò***, *essere* → ***sarò***, *andare* → ***andrò***,
vedere → ***vedrò***, *rimanere* → ***rimarrò***,
fare → ***farò***, *potere* → ***potrò***

2. L'*imperativo* con i pronomi diretti e indiretti → 6, 28

Figura**ti**!
Chiamate**mi** pure.
Sta**mmi** bene.

Di**gli** che lo richiamo lunedì sera.
Non chiamar**lo** troppo tardi!

Mi dica!

3. Comparativo di maggioranza di *buono* e *bene* → 2

È una **buona** idea.
Vorrei trovare un lavoro **migliore**.
La cosa **migliore** sarebbe provare.

Al mare mi sento proprio **bene**.
Sto **meglio** se la mattina faccio jogging.

4. *Stare per* + infinito → 15

Stiamo per aprire un bed & breakfast.

5. Il pronome *ne* → 7

Le posso dare queste pastiglie.
Ne prenda due la mattina.
Mi dà anche delle aspirine?
Non **ne** ho più.

note

Quanto sei bella, Roma!

Osservate le foto.
Per quali motivi le persone rappresentate si trovano a Roma?

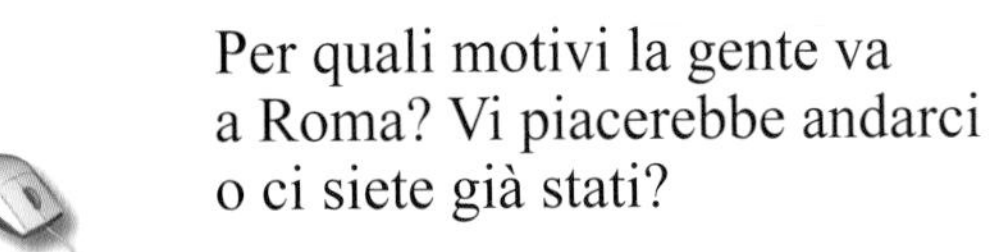
Per quali motivi la gente va a Roma? Vi piacerebbe andarci o ci siete già stati?

A Tutte le strade portano a Roma.

1 Ascoltate il dialogo.
Che problemi ha il cliente?

- ● Scusi, ma a questa pompa qui non c'è nessuno?
- ❍ No, quella lì è solo self-service, se vuole può venire da questa parte.

...
- ● Mi fa il pieno, per favore?
- ❍ Certo.
- ● Senta, lo sterzo è un po' duro ... non saranno mica le gomme?
- ❍ Può darsi, dopo le controlliamo.
- ● E forse bisogna aggiungere l'olio perché la spia lampeggia. Potrebbe controllare? Sa, ho viaggiato tutto il giorno.

...
- ❍ Ecco fatto. Le gomme erano un po' sgonfie, l'olio invece era a posto. Dovrebbe far controllare l'impianto elettrico appena può, ci sarà un contatto.
- ● Strano, l'ho fatto controllare in officina due mesi fa ... comunque senta, un altro favore, mi sa dire dove devo uscire per arrivare a Piazza Vittorio?
- ❍ Certo, deve continuare sul raccordo e poi seguire le indicazioni per Roma centro. Quando arriva sulla Tangenziale, al termine dell'autostrada, Le conviene chiedere ancora.
- ● Va bene, grazie. Certo che con questo traffico ... quanto tempo ci vorrà?
- ❍ Eh, ci vorranno almeno quaranta minuti. A quest'ora ogni giorno è la stessa storia.
- ● Beh, spero almeno di non perdermi!
- ❍ Non si preoccupi, anche se si perde lo sa, no, che tutte le strade portano a Roma.

2 Abbinate.
Guardate l'illustrazione e inserite negli spazi vuoti le seguenti parole.
portiera ◆ motore ◆ sterzo ◆ finestrino

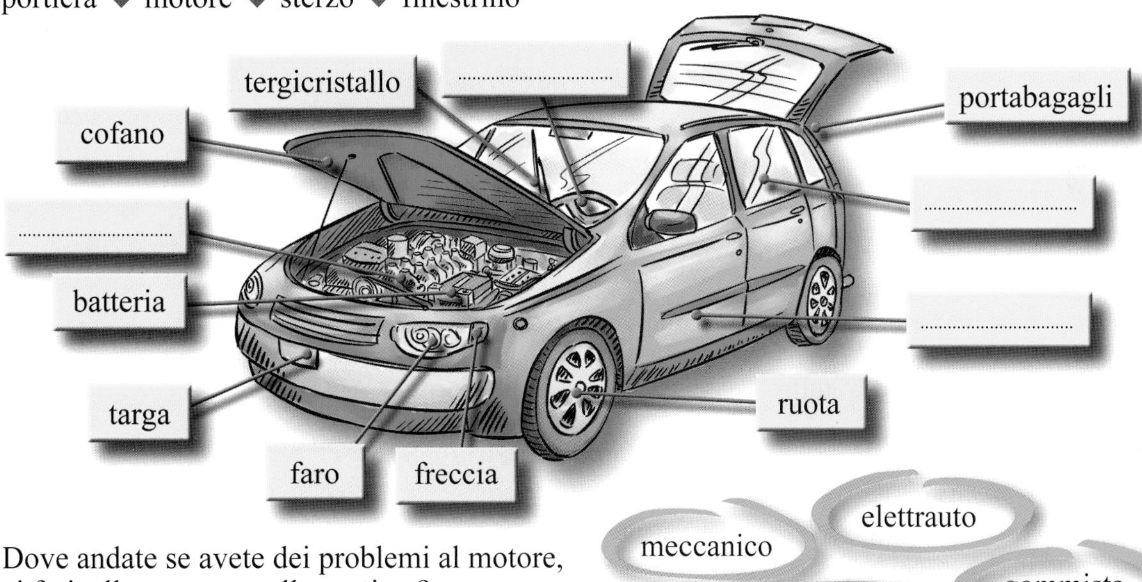

Dove andate se avete dei problemi al motore, ai fari, alle gomme o alla portiera?

meccanico
elettrauto
gommista
carrozziere

3 Rileggete il dialogo.
Ci sono due domande che il cliente fa al benzinaio perché è incerto.
Quali sono? Quale forma verbale usa?

Senta, lo sterzo è un po' duro ... .?

Certo che con questo traffico ... .?

4 Fate delle ipotesi.
Rispondete alle domande secondo gli esempi ed aiutatevi con gli elementi dati.

● Come mai c'è tanto traffico oggi?
❍ Ci sarà un blocco stradale.

esserci - un blocco stradale
esserci - delle manifestazioni
fare sciopero - i mezzi pubblici
non funzionare - i semafori

● Perché la macchina non parte?
❍ Sarà scarica la batteria.

essere scarica - la batteria
non fare contatto - la chiave
non esserci più - benzina
essere freddo - il motore

5 Completate.

La spia dell'olio lampeggia. Potrebbe controllare?

L'olio è a posto. Dovrebbe .... l'impianto elettrico.

6 Lavorate in coppia.
Siete su una delle strade che portano a Roma, in una delle località indicate con il cerchietto rosso. Vi fermate al distributore per fare benzina e per far controllare o riparare qualcosa alla vostra macchina. Fate il dialogo con il benzinaio che risolverà il vostro problema o vi indicherà a chi rivolgervi. Chiedete infine quanto tempo ci vorrà per arrivare a Roma.

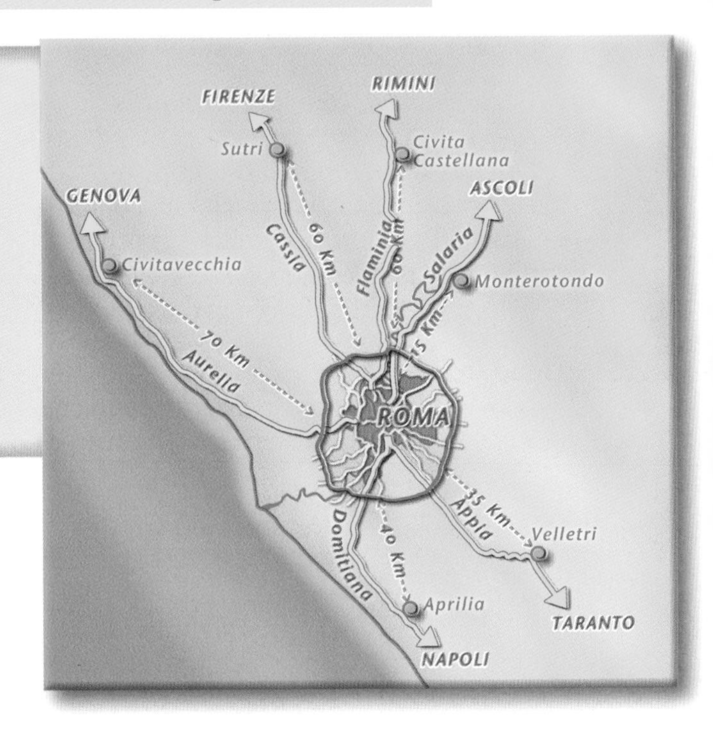

7 Osservate.
Leggete le seguenti frasi. Come vi esprimete nella vostra lingua?

Ho viaggiato tutto il giorno.

Ogni giorno è la stessa storia.
Tutti i giorni è la stessa storia.

Che cosa notate nell'uso di *ogni* e *tutto*?

8 Raccontate.
Quando vi spostate a piedi, in macchina o con i mezzi pubblici? Perché?
Lavorate in gruppi e raccontate ai compagni qualcosa sulle vostre abitudini.
Le seguenti espressioni vi possono essere d'aiuto.

tutti i giorni — non ... mai — qualche volta — tutte le domeniche
tutto il giorno — ogni fine settimana — tutti i lunedì — ogni tanto

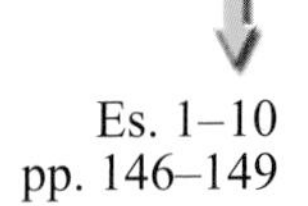
Es. 1–10
pp. 146–149

B Stranieri in Italia

1 Leggete.

HANNO LASCIATO LE LORO CITTÀ PER TRASFERIRSI DA NOI, PER LAVORO, AMORE, STUDIO. BRASILIANI, FILIPPINI, INGLESI, PERUVIANI ... ABBIAMO INCONTRATO ALCUNI DI LORO E RACCOLTO TESTIMONIANZE DIVERSISSIME

Stranieri in Italia

Il cuoco

Walter, 39 anni, brasiliano

Sono dovuto venire in Italia: l'economia in Brasile è malata, trovare lavoro è un lusso. I primi tempi sono stati davvero duri. La cultura, la lingua, il clima, il cibo: all'improvviso ti ritrovi in un mondo in cui tutto è diverso. Adesso mi sono abituato. Lavoro in un panificio e in un ristorante. Sono venuto in Italia per motivi di lavoro. Mio fratello Lucio e mia cugina sono venuti con me. Ora vorremmo tanto ottenere la cittadinanza italiana. Ma abbiamo un problema perché il mio bisnonno italiano si chiamava in un modo e in Brasile l'hanno scritto in un altro. Quindi mio fratello adesso è andato di nuovo in Brasile per la rettifica. Anche a me farebbe piacere ritornare a casa, anche se solo per poco tempo.

L'infermiera

Noemi, 50 anni, filippina

Sono arrivata in Italia nel 1990 per seguire mio marito che fa il disegnatore civile. Prima abitavamo in Libia. Sono stata subito bene in Italia: in Libia non si poteva andare in giro da sole, erano proibite troppe cose, mentre in Valtellina, dove siamo andati ad abitare, ho fatto subito amicizia con tutti. Ho vissuto cinque anni a Sondrio: aiutavo una famiglia a curare il giardino e ogni venerdì, insieme ad un gruppo di volontari, andavo a pulire la chiesa. Ora ci siamo trasferiti a Roma. Anche qui ho avuto la grande fortuna di incontrare persone gentili e cordiali. Non ho ancora il permesso di praticare la mia professione (sono infermiera), ma aiuto i miei connazionali quando ne hanno bisogno. Qui a Roma noi filippini siamo in tanti.

> *“all'improvviso ti ritrovi in un mondo in cui tutto è diverso”*

L'operaio

Davide, 28 anni, peruviano

Sono venuto in Italia per amore. Ho conosciuto mia moglie dieci anni fa a una festa, nel paesino di mio papà e della sua famiglia. Poi lei è dovuta partire per l'Italia e non ci siamo visti per quattro anni. È tornata a Lima e il mio cuore batteva ancora per lei. Quando è ripartita, abbiamo iniziato a telefonarci. Alla fine è venuta in Perù e ci siamo sposati: il 22 agosto era il giorno delle nostre nozze, il 23 quello della sua partenza. Quanto ho sofferto! Ho dovuto aspettare parecchi mesi per il ricongiungimento familiare. Ma ora sono qui, faccio l'operaio, vivo con lei. E sono felice.

Il professore

Peter, 31 anni, inglese

Vengo da una città vicina a Manchester: da un anno e sei mesi vivo a Roma e insegno alla scuola inglese, frequentata anche da italiani. Sono qui perché un'amica mi ha detto che c'era un posto per me e volevo vedere come si sta in un paese in cui tanti inglesi vengono a fare le vacanze. Devo dire che mi piace la «dolce vita» italiana: in Inghilterra siamo troppo seri e severi. Ma c'è anche la faccia negativa della medaglia, e cioè che a volte non riesco ad entrare in sintonia con i miei allievi. Quando voglio discutere rispondono caoticamente tutti insieme. Così non è mica possibile!

da: Gioia

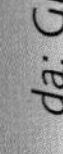

Per quali motivi le persone intervistate si sono trasferite in Italia?
E voi per quale motivo sareste disposti a lasciare il vostro paese?

2 **Completate.**

.... in Italia per motivi di lavoro.
Mio fratello Lucio e mia cugina .... con me.
Adesso mio fratello .... di nuovo in Brasile.

3 **Raccontate.**
E voi dove andate il prossimo fine settimana? Chi viene con voi?
E se rimanete a casa, verrà qualcuno a trovarvi?

4 **Completate.**
Completate con le frasi che dice Davide.

Mia moglie .... partire per l'Italia.
Io .... aspettare parecchi mesi.

Cosa notate nell'uso dell'ausiliare con i verbi modali?

5 **Lavorate in coppia.**
In base agli elementi dati raccontate qualcosa della vita di Katia negli ultimi due anni.

ESEMPIO Due anni fa Katia ha dovuto lasciare l'Ucraina perché là non c'era lavoro ...

~~lasciare l'Ucraina~~	cercare lavoro come collaboratrice familiare
portare i figli in Italia	ottenere la cittadinanza italiana
abituarsi al clima italiano	mantenere i contatti con i suoi connazionali
esercitare la professione di infermiera	ritornare in Ucraina tre mesi fa

6 **Raccontate.**
E voi, cosa avete potuto/voluto/dovuto fare negli ultimi tempi, e cosa no?

Es. 11–12
p. 149

ESEMPIO Oggi ho dovuto lavorare.
La settimana scorsa non sono potuta venire perché ero in vacanza.

C Gli italiani nel mondo

1 **Discutete.**
Secondo voi ...

... quanti sono gli italiani residenti ufficialmente all'estero?

- ☐ circa 1 milione
- ☐ circa 4 milioni
- ☐ circa 10 milioni

... come sono distribuiti gli italiani residenti all'estero nei continenti elencati?

56,2% ◆ 38,3% ◆ 3,1% ◆ 1,7% ◆ 0,7%

Africa	Europa ....
America	Australia ....
Asia	

ESEMPIO Secondo me il 3,1 percento abita in Africa.

2 **Leggete e confrontate.**

Leggete il seguente testo e confrontate le cifre con le ipotesi che avete fatto.

Avete contatti con italiani che abitano dalle vostre parti? Conoscete o frequentate istituzioni o associazioni italiane nel vostro paese?

Dove vivono gli italiani?

Gli italiani nel mondo che hanno conservato la cittadinanza sfiorano i quattro milioni (3.930.499 in base agli ultimi dati delle anagrafi consolari). I primi quattro paesi in graduatoria per il numero degli italiani residenti sono: in Europa, la Germania (688.000), la Svizzera (582.000) e la Francia (378.000) e, in America, l'Argentina (580.000). La ripartizione degli italiani nel mondo per aree continentali è la seguente: l'Europa (56,2%), l'America (38,3%) e l'Australia (3,1%). Seguono poi l'Africa con l'1,7% e infine l'Asia con lo 0,7%.

3 **Ascoltate.**

- ● Toni, questa è Giulia, la mia nuova vicina.
- ❍ Ah, piacere. Allora tu sei il famoso fratello che vive a Stoccolma.
- ▲ In persona.
- ❍ E come ti trovi lassù al nord? Non ti manca Roma?
- ▲ Mah, no, sai ... là ho il mio lavoro, ho molti amici. E poi comunque a Roma ci vengo ogni tanto. Vengo a trovare la mia famiglia, i vecchi amici ...
- ❍ Scusa se sono curiosa, ma come mai sei andato a vivere proprio a Stoccolma?
- ▲ Mah, nel 1999 sono andato a trovare dei ragazzi che avevo conosciuto l'estate precedente in vacanza e con cui ero rimasto in contatto.
- ❍ E già pensavi di rimanere?
- ▲ No, io in realtà pensavo di rimanere al massimo un mese. Poi però ho cominciato a lavorare nel laboratorio fotografico di uno di loro ...
- ❍ Ma avevi già fatto delle esperienze prima in questo campo?
- ▲ Sì, qualche anno prima avevo lavorato qui a Roma e mi era piaciuto molto.
- ❍ E con la lingua? Non hai avuto problemi?
- ▲ No, all'inizio parlavo inglese. Poi ho preso lezioni private e a poco a poco ho imparato lo svedese.
- ● Ma lo sai, Toni, che Giulia insegna l'italiano agli stranieri?
- ▲ Davvero? Qui a Roma?
- ❍ Sì, lavoro qui da due mesi, però sono di Treviso.
- ▲ Ecco, mi sembrava che l'accento ...
- ● Senti Toni, io avevo pensato di portare Giulia un po' in giro per Roma questo fine settimana. Sai, lei finora ha avuto poco tempo per girare. Tu che ne dici?
- ▲ Buona idea. Sabato sera ci porti un po' in giro per i locali nuovi e domenica, se vi va, potremmo andare a vedere la città dall'alto. San Pietro, il Pincio, Castel Sant'Angelo ...

4 **Completate.**

Rileggete il testo e completate lo specchietto. Come si forma il trapassato prossimo?

avevo conosciuto
avevi conosciuto
aveva conosciuto
avevamo conosciuto
avevate conosciuto
avevano conosciuto

Come mai sei andato a vivere a Stoccolma?
Nel 1999 sono andato a trovare dei ragazzi che .... l'estate precedente e con cui .... in contatto. Poi ho cominciato a lavorare e mi sono stabilito lì.

Sottolineate nel testo altre frasi con il trapassato prossimo.
Quali espressioni di tempo trovate in queste frasi?

5 Completate.
Giulia racconta ad un collega come ha trascorso il fine settimana. Completate le sue frasi con i seguenti verbi nelle forme appropriate.

far conoscere ◆ mangiare ◆ esserci ◆ essere ◆ arrivare

Venerdì scorso ho conosciuto Toni. .... proprio il giorno prima. Sua sorella Serena mi aveva parlato molto di lui ed io .... curiosa di conoscerlo. Non avevo ancora visto molto di Roma. Serena e Toni mi .... diversi locali. In un ristorante a Testaccio ho mangiato i carciofi alla giudia. Non li .... mai .... prima. Domenica ho visitato Castel Sant'Angelo. .... con i miei genitori da bambina ma ricordavo poco.

6 Osservate.

Toni non ha **tanta nostalgia** dell'Italia perché a Stoccolma ha **molti amici**.
Fa il fotografo e il suo lavoro **gli piace molto**.

7 Lavorate in gruppi.
Parlate di voi. Che cosa vi manca? Che cosa avete a sufficienza? Che cosa avete in eccesso?

molto · troppo · poco · tanto

ESEMPIO Ho molto lavoro.
Dormo troppo poco e lavoro tanto.

8 Lavorate in coppia.
Raccontate di qualcuno della vostra famiglia o dei vostri amici che è andato a vivere in un altro paese o in un'altra città.

l'estate / l'inverno precedente	prima	nel 19...
qualche anno prima	all'inizio	poi / in seguito

Lettura

1  **Leggete.**
Leggete i tre testi e cercate poi insieme al vostro compagno di dare un titolo ad ogni testimonianza.

ROMA, LA MIA CITTÀ

Non è tutto positivo in questa città. Al contrario, se si considera Roma come una moderna metropoli anziché come una città museo, gli aspetti negativi prevalgono su quelli positivi. Il centro storico, concepito in epoche remote, è angusto e inadeguato alle attuali esigenze. Il traffico cittadino è caotico anche a causa dei mezzi pubblici insufficienti, lo sviluppo della rete metropolitana è modesto, i parcheggi carenti, mentre, di contro, aumentano sempre più le auto. Purtroppo la soluzione di questi problemi non è semplice dato che in questa città, e in particolare nel suo centro storico, si trovano reperti archeologici ogni volta che si fa un buco nel sottosuolo. Ciò comporta la sospensione dei lavori a tempo indeterminato.

Orlando Ponti

Roma è una grande città ma al suo interno ha tanti quartieri che sono come piccoli paesi. Sono nata in uno di questi paesi, un rione antico, popolare. Sono nata a Testaccio. Lì ci sono le mie radici e molti dei miei ricordi. La maggior parte delle case non aveva ascensore ed era frequente vedere un cestino appeso ad una cordicella, calato da una finestra: dalla strada qualcuno deponeva un pacchetto con le medicine o una busta di carta col pane caldo o un po' di verdura. Spesso quel qualcuno era in vestaglia e ciabatte, era uscito così per andare dal fornaio o al mercato. È nata lì, molto presto, la mia passione per i mercati. Mi piacevano tutti quei colori, quella confusione, le frasi gridate, le battute, il movimento. *Elisabetta Baroni*

Roma ha una bellezza che non finisce mai perché non è data da un solo elemento, l'architettura, o il panorama, o la natura circostante, o un clima che ti consente, alla vigilia di Natale, di sederti all'aperto al tavolino di un caffè, ma di queste e tante altre cose fuse insieme il cui risultato è un luogo dell'anima e non solo un ambiente materiale. Vado spesso a fare la spesa in un drugstore che si chiama Museum ed è aperto 24 ore su 24. È collocato sulla Via Portuense, all'interno di un'area archeologica che espone resti di una necropoli di età imperiale. Solo a Roma capita di scegliere i broccoli o la mozzarella fresca in vista di una cripta con urne funerarie senza correre il rischio di perdere l'appetito perché qui la convivenza con l'eternità è un fatto scontato, un dato quotidiano. *Michele Petti*

2 Mettete una crocetta.
Leggete le seguenti frasi. A chi si riferiscono?

	Orlando	Elisabetta	Michele
Descrive la vita in un quartiere di Roma.	☐	☐	☐
Apprezza il contrasto tra antico e moderno che c'è a Roma.	☐	☐	☐
Parla di alcuni aspetti problematici di Roma.	☐	☐	☐
Parla dei suoi ricordi d'infanzia.	☐	☐	☐
Ama Roma per la varietà dei suoi aspetti.	☐	☐	☐

3 Sottolineate.
Cercate nel testo le frasi con il significato corrispondente alle seguenti espressioni.

si vedeva spesso un cestino	gli aspetti negativi sono più di quelli positivi
non ci sono molti parcheggi	solo a Roma può succedere di
un clima che ti permette	un quartiere antico

4 Scrivete.
Immaginate di essere invitati a scrivere qualcosa del paese o della città dove abitate attualmente o dove siete nati. Che descrizione fate? Come definite il vostro rapporto con il posto?

Ascolto

1 **Ascoltate.**

Ascoltate la canzone *Arrivederci Roma* di Renato Rascel.
In che ordine appaiono i luoghi e le cose indicati?

- ☐ Fontana di Trevi
- ☐ ristorante Squarciarelli
- ☐ i Castelli
- ☐ i fori e gli scavi
- ☐ via Margutta
- ☐ Trinità dei Monti

2 **Riascoltate.**

Ascoltate di nuovo il testo e mettete una crocetta al posto giusto.

	vero	falso
La leggenda dice che se si butta una moneta nella Fontana di Trevi si torna sicuramente a Roma.	☐	☐
La canzone parla di una ragazza inglese.	☐	☐
La ragazza decide di rimanere a Roma.	☐	☐
Alla fine della canzone un ragazzetto butta un soldino nella fontana.	☐	☐

3 **Lavorate in gruppi.**

Scegliete due cose tra le seguenti che potreste fare anche voi a Roma e due cose che invece non fareste mai.

fare una gita in carrozzella
buttare un soldino dentro la Fontana di Trevi
salire in cima alla Cupola di San Pietro
farsi fare una foto davanti al Colosseo
mettere la mano nella bocca della verità
andare a cena in un ristorante di Trastevere

Si dice così

Chiedere un servizio al benzinaio

Mi fa il pieno per favore?
Potrebbe controllare l'olio?

Dare un consiglio

Dovrebbe far controllare l'impianto elettrico.
Le conviene chiedere ancora.

Esprimere una supposizione

Lo sterzo è un po' duro. Non saranno mica le gomme?
Ci sarà un contatto nell'impianto elettrico.
Forse bisogna aggiungere l'olio perché ...

«Intervistare» una persona

Come ti trovi a ...?
Non ti manca ...?
Come mai sei andato proprio a ...?
E con la lingua, non hai avuto problemi?

Motivare una decisione

Sono arrivata in Italia per seguire mio marito.
Sono venuto in Italia per motivi di lavoro.
Sono qui perché un'amica mi ha detto che c'era un posto per me.

1. ***Non ... nessuno*** **→ 13**

Qui **non** c'è **nessuno**?

2. Il *futuro* per esprimere un'ipotesi **→ 26**

Non **saranno** mica le gomme?

3. ***Far fare*** **→ 19**

Devo **far controllare** i freni.

4. Gli aggettivi indefiniti *tutto* e *ogni* **→ 12**

Ho viaggiato **tutto il** giorno.
Tutte le mattine / **Ogni** mattina è la stessa storia.

5. Il *passato prossimo* dei verbi modali **→ 22, 34**

Io **ho dovuto** aspettare due mesi.
Mia moglie **è voluta** partire subito.

6. Il *trapassato prossimo* **→ 25, 34**

Sono andato a trovare dei ragazzi.
Li **avevo conosciuti** l'estate precedente.
Già qualche anno prima **ero stato** lì.

7. ***Poco, molto, tanto, troppo*** **come aggettivi e avverbi** **→ 10**

Toni ha **poco** tempo.	Toni ha dormito **poco.**
Ha fatto **molti** chilometri.	Ha viaggiato **molto.**
Giulia ha **tanta** nostalgia.	Giulia lavora **tanto.**
Ho **troppe** cose da fare.	Ho camminato **troppo.**

note

UNITÀ

12 Ripasso

A Vacanze romane

1 Formate piccoli gruppi e ... buone vacanze!
Ogni gruppo riceve un dado e ogni studente una pedina.
La casella di partenza e di arrivo è sui binari della stazione.

1. Alla **Stazione Termini**: siete appena arrivati a Roma e telefonate ad un amico romano. Risponde la segreteria telefonica e voi lasciate un messaggio.
2. **Università la Sapienza:** volete frequentare per un semestre l'università in Italia. Chiedete informazioni sulla facoltà che vi interessa.
3. Davanti al **Quirinale**: vorreste visitare la residenza del Presidente della Repubblica ma la strada è sbarrata. Come mai?
4. Di fronte a Piazza di Spagna, sui gradini coperti di azalee che portano alla chiesa di **Trinità dei Monti**, il regista dà ordini alle modelle per la prossima sfilata di moda: che cosa dice?
5. **Villa Borghese:** mentre ammirate le opere d'arte della Galleria Borghese fate la conoscenza di uno straniero che vive a Roma da un paio di anni. Che cosa volete sapere di lui?
6. Al **Pincio**: dopo aver ammirato la città dal terrazzo del Pincio vorreste fare una gita a Ostia con la macchina che avete noleggiato. La macchina ha dei problemi, andate al primo distributore e chiedete aiuto.
7. A **Castel Sant'Angelo**, originariamente mausoleo, poi abitazione dei Papi e infine per lungo tempo prigione, mentre vi godete un bellissimo panorama su Roma, squilla il vostro cellulare. È un vostro amico in crisi. Cercate di consolarlo.
8. Davanti alla **Basilica di San Pietro**, mentre ammirate il colonnato costruito dal Bernini nel 1656, fate dei buoni propositi per il prossimo anno.
9. A **Trastevere**, il quartiere considerato dagli stessi romani il più «romano de Roma» siete in un'osteria e con l'anziano proprietario parlate delle vostre abitudini alimentari.
10. A **Campo de' Fiori** vi fermate a fare la spesa al mercato. Raccontate al vostro compagno di viaggio cosa vi piace e cosa non vi piace di Roma.
11. Siete a **Piazza Navona**, costruita sull'antico Stadio Diocleziano dell'81 d.C. e oggi abbellita dalla fontana del Moro, dalla Fontana dei Fiumi e da quella del Nettuno. C'eravate già stati una volta da bambini. Cosa vi ricordate?

⓬ Avevate un appuntamento in **Piazza Montecitorio**, dove ha sede la Camera dei Deputati del Parlamento Italiano. Siete arrivati in ritardo. Scusatevi e raccontate quello che avete dovuto fare, dove siete dovuti andare prima ecc.

⓭ Alla **Fontana di Trevi**: gettate una monetina ed esprimete un desiderio per il futuro.

⓮ A **Piazza Venezia**, davanti al monumento al Re Vittorio Emanuele, improvvisamente non vi sentite molto bene. Andate nella farmacia vicina e chiedete un consiglio al farmacista.

⓯ Il **Foro Romano**. Guardandovi intorno vi sembra di rivedere gli antichi romani che camminano per le strade del Foro. Come era la vita allora? Cosa vi immaginate?

⓰ Dopo una visita al **Colosseo**, l'Anfiteatro più grande del mondo, iniziato da Vespasiano nel 72 d.C., siete entusiasti più che mai di Roma. Ci abitereste? Sì o no? Perché?

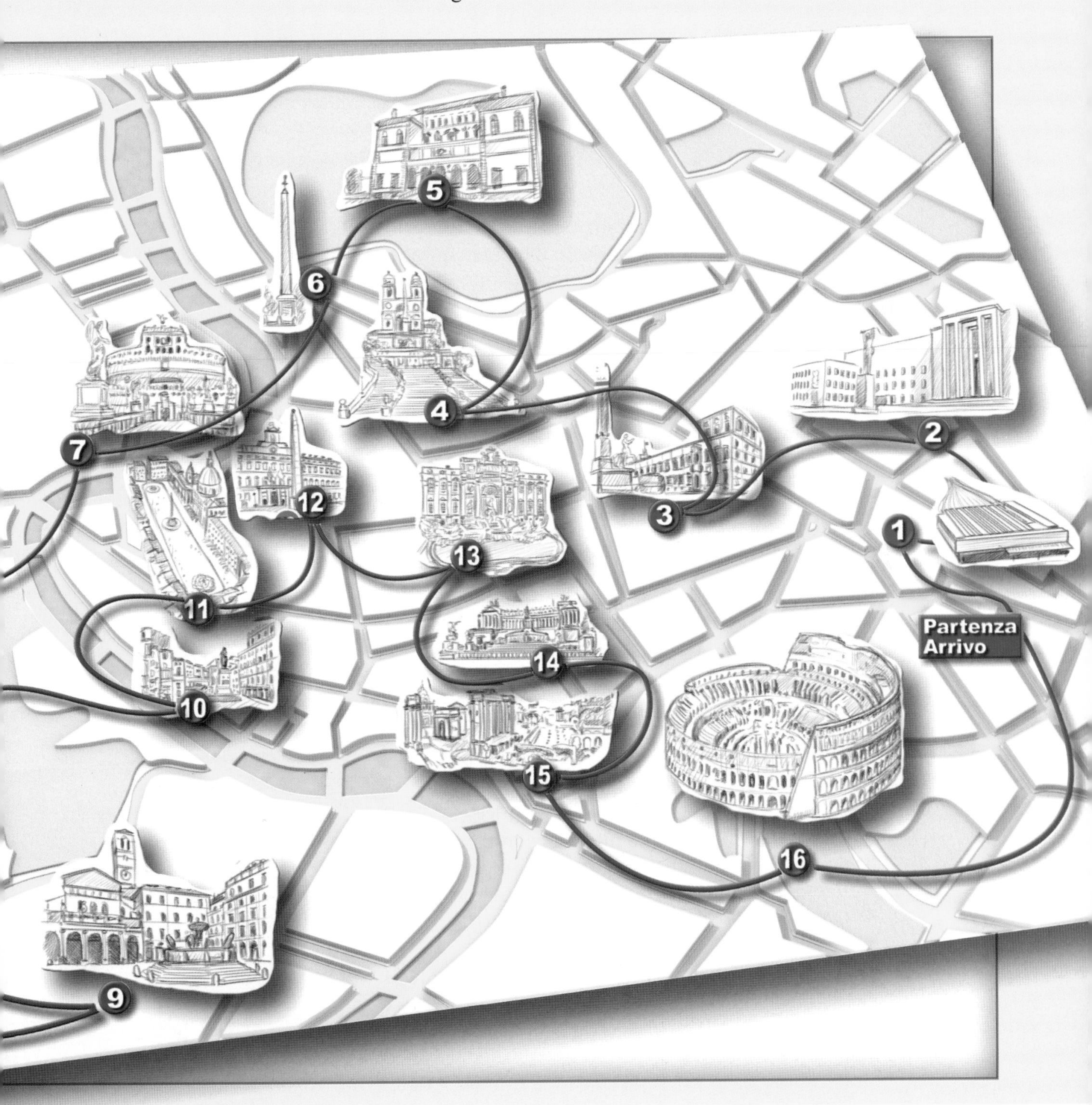

B Scriviamo insieme una guida turistica!

1 Lavorate in gruppi.

Siete arrivati alla fine del libro. Un traguardo che volete festeggiare tutti insieme con un viaggio a Roma e dintorni. A gruppi scegliete un tema per il vostro viaggio tra quelli proposti. Raccogliete le informazioni relative senza dimenticare anche gli aspetti pratici.

la Roma del Caravaggio

I CASTELLI ROMANI

i laghi di Albano e di Nemi

i quartieri del centro storico

LA ROMA SCONOSCIUTA

OSTIA ANTICA

la Roma di Fellini

PIAZZE E FONTANE

la Roma dei buongustai

la Roma barocca

- Scegliete un tema che vi interessa.
- Ricercate materiale riguardante il tema in questione.
- Completate con le seguenti informazioni:
  - spostamenti
  - alloggio
  - ristoranti
  - visite guidate.
- Presentate il vostro itinerario alla classe.
- Raccogliete tutti gli itinerari in una guida di Roma e dintorni, che solo voi avrete la fortuna di possedere!

C Ripetiamo un po'!

1 Indovinate.

Scrivete su un foglietto alcune date riguardanti la vostra vita passata e i vostri progetti futuri. Scambiate i foglietti con un compagno e provate a indovinare a vicenda cosa è successo e cosa succederà.

2 Lavorate in coppia.

Giulia Caputi è scomparsa nei dintorni di Roma. Questa foto, scattata da voi, risale alla settimana precedente alla sua scomparsa. Il commissario di polizia vi interroga e vuole informazioni su:

- dove e perché avete scattato questa foto;
- il tipo di rapporto tra di voi;
- la data e il luogo del vostro ultimo incontro;
- i vostri incontri precedenti e la loro frequenza.

Drammatizzate il dialogo.

E non se ne vogliono andare.

• È proprio vero che i ***figli italiani*** non vogliono andare via di casa? Sicuramente i giovani lasciano la casa dei genitori ad un'età media molto più alta rispetto ai paesi del Nord Europa, ma il motivo non è solo il forte legame affettivo dei ***mammoni***. Spesso la scelta è dettata da questioni economiche. Chi studia, per esempio, deve pagare le tasse universitarie e l'offerta di alloggi a buon prezzo è inadeguata rispetto al numero degli studenti. Un posto di lavoro, soprattutto il primo, non sempre è ben pagato, gli affitti e ***il costo della vita*** in molte città sono alti. Eppure la famiglia italiana sta cambiando. I casi di chi va a vivere da solo o sceglie di ***convivere con il partner*** non sono più rari. Anche la figura del *padre padrone* e della *mamma chioccia* sono ormai un cliché. La mamma italiana oggi è una ***donna emancipata e indipendente*** che non trascura né la professione né i propri interessi.

Nel mio paese avevo studiato ...

• Li vediamo lavorare come ***venditori ambulanti***, nelle fabbriche, in agricoltura, nel campo della ristorazione. Sono gli ***immigrati***, che oggi costituiscono il 3% della popolazione italiana. Svolgono spesso i lavori più faticosi e meno redditizi, eppure nella sola città di Roma il 67,5% degli immigrati residenti ha una formazione secondaria superiore o universitaria. Spesso ***il titolo di studio*** di chi proviene dai paesi più poveri non è riconosciuto e la ***burocrazia*** fa il resto.

• La percentuale in continua crescita degli immigrati sta trasformando anche l'Italia in una ***società multietnica e multiculturale***. Le scuole oggi sono frequentate da tantissimi bambini stranieri. Anche loro saranno il futuro dell'Italia.

Mamma Roma

• Il nome di Roma deriva probabilmente da Rumon (corpo fluido), antico nome del Tevere.

• ***La capitale d'Italia*** e capoluogo della regione Lazio si trova a pochi chilometri dalle coste in cui il Tevere sfocia nel mar Tirreno ed è in parte costruita sui famosi ***sette colli*** (Palatino, Celio, Quirinale, Capitolino, Aventino, Esquilino e Viminale). Dalla città partono a raggio le ***antiche strade*** costruite dai consoli romani che ancora oggi la collegano al nord e al sud dell'Italia. Tre millenni di grande storia le hanno regalato un enorme ***patrimonio*** di beni artistici, culturali ed architettonici che attrae ogni anno milioni di turisti. Roma è sede di ***ambasciate***, ***associazioni internazionali*** come la Fao e l'Unesco e centro universale della ***religione cattolica***.

• Ma cosa dire di questa città che non sia già stato detto, letto o scritto mille volte? Lasciamo la parola a ***Federico Fellini***, che in una intervista ha detto di Roma: « ... Roma ti accoglieva quando arrivavi, ti lasciava andare via quando te ne andavi ... Mi sembra che Roma sia la città ideale proprio per la mancanza di una sua struttura moralistica, rigorosa, ideologica ... mi pare una città straordinaria, proprio materna nel senso più buono della parola, una madre indifferente perché ha tanti di quei figli venuti da ogni parte del mondo, che non può prendersi cura di ciascuno.»

Che piacere rivederti!

1 **Incontrate, per caso, una persona dopo tanto tempo. Completate le frasi.**

2 **Mettete in ordine le frasi del dialogo.**

- ○ Ah, sì. Frattini, della quinta C. Ma guarda che sorpresa! Con i capelli corti adesso, eh?
- ● Scusi, ma Lei non è la professoressa Grimaldi?
- ● Eh, sì. I tempi cambiano. Lei invece non è cambiata per niente.
- ○ Sì, sono io. Ci conosciamo?
- ○ Oh, grazie per il complimento Frattini. Sei diventato un gentiluomo.
- ● Sono Maurizio Frattini. Si ricorda di me?

3 **Che cosa dite quando ...**

... incontrate un vecchio compagno di scuola che non è cambiato per niente?

....

... andate a prendere vostra sorella alla stazione e volete esprimere tutta la vostra felicità nel rivederla?

....

... dopo tanti anni incontrate ad una festa il signor Spagnoli, un vostro ex vicino di casa?

....

4 **Descrivete Adriana usando anche le parole date.**

castani | magra | lisci | alta | non ... molto | capelli

Adriana è ....

....

....

....

5 **Osservate le due fotografie di Franco, una quando aveva 37 anni e l'altra di oggi che ne ha 57, e completate la descrizione dicendo com'è cambiato.**

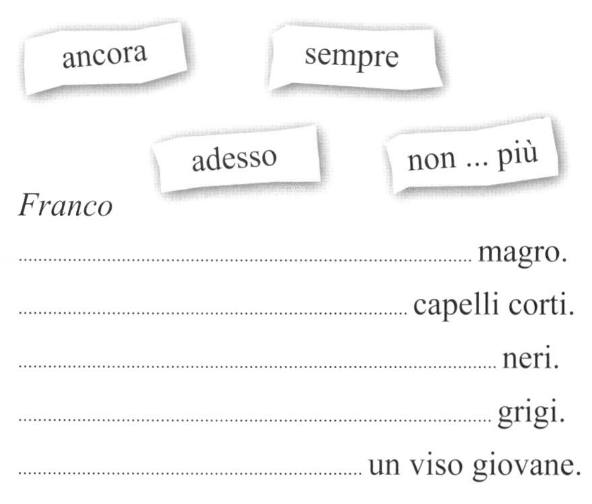

Franco

.... magro.

.... capelli corti.

.... neri.

.... grigi.

.... un viso giovane.

6 **Completate, con i pronomi personali e riflessivi mancanti, la cartolina che Angela scrive alla sua mamma.**

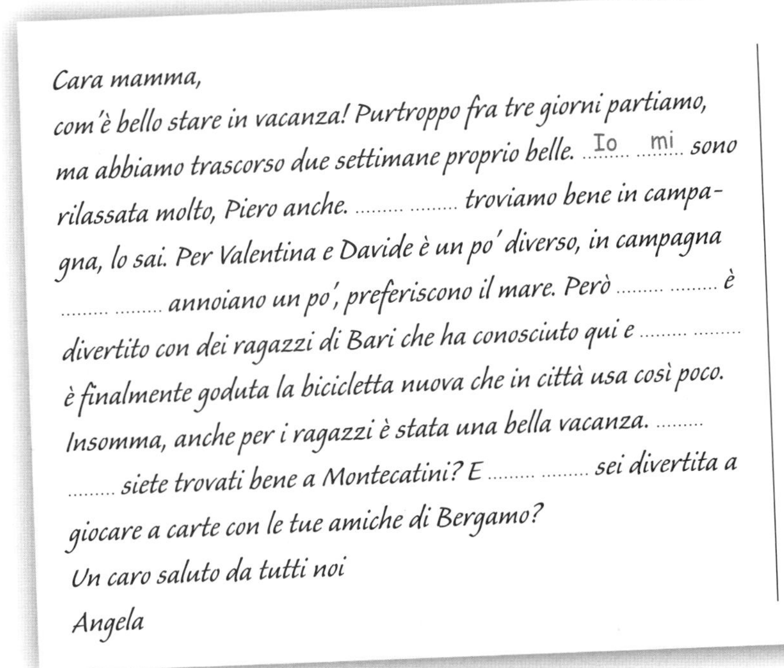

Cara mamma,
com'è bello stare in vacanza! Purtroppo fra tre giorni partiamo, ma abbiamo trascorso due settimane proprio belle. Io mi *sono rilassata molto, Piero anche.* .... *troviamo bene in campagna, lo sai. Per Valentina e Davide è un po' diverso, in campagna* .... *annoiano un po', preferiscono il mare. Però* .... *è divertito con dei ragazzi di Bari che ha conosciuto qui e* .... *è finalmente goduta la bicicletta nuova che in città usa così poco. Insomma, anche per i ragazzi è stata una bella vacanza.* .... *siete trovati bene a Montecatini? E* .... *sei divertita a giocare a carte con le tue amiche di Bergamo?*
Un caro saluto da tutti noi
Angela

Anna Pasqualetti
Via del Battistero, 7
55100 Lucca

7 **Marina racconta a Laura che cosa hanno fatto alcuni dei loro ex compagni di scuola dopo la maturità. Completate i testi con il pronome riflessivo, l'ausiliare e la desinenza del participio passato corretti.**

1 «Anna, dopo la maturità, ha cominciato a lavorare in banca. Ha lasciato la casa dei genitori in periferia e .... trasferit..... in centro. Dopo pochi mesi .... innamorat...... di un collega e (loro) .... sposat..... poco dopo.»

2 «Giulio invece .... iscritt...... all'università a Bologna insieme alla sua ragazza. Ma dopo un anno (loro) .... lasciat...... e lui è andato a vivere a Roma. È da tanto che non lo vedo, purtroppo (noi) .... pers...... di vista.»

3 «Anche Carla .... iscritt...... all'università. Poi però ha conosciuto un ragazzo spagnolo e .... trasferit...... a Granada. (noi) .... vist..... l'ultima volta tre anni fa, al matrimonio di sua nipote.»

4 «Federico ed io, invece, ... incontrat.... la settimana scorsa. Dopo dieci anni passati a Torino è tornato qui a Forlì e .... mess.... in proprio insieme al fratello. Hanno aperto un negozio di dischi. Lui è veramente sempre il solito ...»

8 **Completate i brevi dialoghi con i verbi dati al *presente* o al *passato prossimo*.**

1. ● Ma tuo fratello dove abita?
   ○ Ah, guarda, lui non vive mai più di un anno nella stessa città. L'anno scorso .... a Roma per raggiungere la famiglia ma fra due mesi .... tutti a Padova. — *trasferirsi*
2. ● Che bello! Stamattina (io) .... alle 7. — *alzarsi*
   ○ Perché? A che ora .... generalmente?
3. ● Quando .... Chiara e Roberto? — *sposarsi*
   ○ Ma come, non lo sai? .... il mese scorso!
4. ● Marta, ... già per il corso di russo? — *informarsi*
   ○ No, ... domani al *Centro Studenti*.
5. ● Tu e Roberto normalmente .... spesso? — *vedersi*
   ○ Sì, ... anche ieri sera.

9 **Scrivete il contrario dei seguenti aggettivi.**

1. chiuso ↔ ....
2. estroverso ↔ ....
3. antipatico ↔ ....
4. divertente ↔ ....
5. insensibile ↔ ....
6. stupido ↔ ....

10 **Completate il testo con gli aggettivi dati nel riquadro.**

disponibile ◆ attiva ◆ brava ◆ aperto ◆ introverso ◆ estroversa

«Da due mesi lavoro in una nuova ditta e ormai conosco quasi tutti i colleghi. Giuseppe, per esempio, è un tipo molto ...., con lui vado molto d'accordo. Francesco parla sempre poco, è molto timido e .... Proprio il contrario di Clara che invece è ...., ama raccontare storie interessanti, ed è anche molto .... nel suo lavoro. Simonetta è una donna molto ...., ha due bambini, pratica due o tre sport ed ha diversi interessi. Chissà come fa. Infine c'è Daniele che è sempre ...., sempre pronto a dare aiuto.»

11 **Inserite nella corretta colonna i seguenti verbi.**

telefonare ◆ chiamare ◆ chiedere ◆ domandare ◆ incontrare ◆ scrivere
guardare ◆ invitare ◆ cercare ◆ dire ◆ rispondere ◆ salutare

	qualcuno		a qualcuno
....		....	
....		....	
....		....	
....		....	
....		....	
....		....	

12 **Abbinate le frasi.**

1. Hai l'indirizzo di Paola e Luca? Poi
2. Ah, oggi è il compleanno di mia zia. Stasera
3. Vuoi venire anche tu? Allora
4. Siamo invitati al compleanno di Leo. Che cosa

a) le telefono.
b) gli possiamo portare?
c) gli vorrei mandare una cartolina.
d) ti dico come arrivarci.

13 **Enrica e Riccardo organizzano una festa. Completa il dialogo con i *pronomi indiretti* per sostituire le parole evidenziate.**

● Hai detto a Lucio di portare anche la sua nuova ragazza?
○ Sì, certo. .... ho detto che la vogliamo finalmente conoscere.
E tu, hai telefonato a Roberta?
● Oh, no! Però .... telefono subito.
E poi dobbiamo dare il nostro nuovo indirizzo a Marina e Rita.
○ Sì, hai ragione. .... mando uno schizzo per fax.
● Perfetto. E hai detto a Carla e Giorgio di rimanere a dormire da noi?
○ Certo! .... ho proposto di rimanere anche il fine settimana.
● Benissimo. Adesso dobbiamo solo chiedere alla mamma quando .... possiamo portare i bambini.

14 **Completate la conversazione telefonica con le espressioni date.**

Noi veramente | Perfetto | Vi va | Perché non vieni | Sì, buona idea | vi vengo a prendere | Magari dopo andiamo

● Ciao ragazzi. .... di andare al cinema?
Se volete .... a casa.
○ .... abbiamo prenotato il bowling.
.... anche tu?
● ....
○ .... a mangiare una pizza ...
● ....

15 **Completate i brevi dialoghi con i *pronomi diretti*.**

Qualcuno ci accompagna a casa?
1 .... posso accompagnare io!

Signora, La posso chiamare stasera?
2 Certo, ... può chiamare verso le sette!

Mi chiami più tardi per il cinema?
3 Sì, ... chiamo stasera.

Dove hai detto che siete, in piazza Mazzini?
4 Sì, siamo al Bar Marino. Tra quanto tempo .... vieni a prendere?

16 **Sottolineate il pronome corretto.**

1. ● A chi dai la chiave di casa prima di andare in vacanza? Alla signora Calvi?
   ❍ No, la/le do al signor Bianchi. La signora Calvi parte subito dopo di noi.
2. ● A Mario regali un CD?
   ❍ Sì, lo/gli regalo *Il quinto mondo* di Jovanotti.
3. ● Hai chiesto a Mario l'indirizzo di Luca?
   ❍ Non ancora. Lo/Gli telefono stasera a casa, in ufficio non lo/gli trovo mai.
4. ● Puoi portare questi documenti all'avvocato Lippi oggi pomeriggio?
   ❍ Scusa, ma perché non li/gli mandiamo per posta?
   ● Preferisco di no, è sempre un rischio.
5. ● Hai comprato le videocassette per Tania e Luisa?
   ❍ No, ho cambiato idea. Le/Gli vorrei regalare dei libri.

17 **Angelo propone a Luca di trascorrere la serata insieme. Completate il dialogo, seguendo le indicazioni, con le battute mancanti di Angelo.**

● Pronto?

Angelo saluta Luca e si presenta.

❍ ....

● Ah, ciao Angelo. Come va?

Angelo risponde che sta bene e chiede a Luca se la sera ha voglia di uscire.

❍ ....

● Sì, volentieri. E dove andiamo?

Angelo chiede a Luca se ha voglia di andare al Barrumba.

❍ ....

● Ah lì, la sera tardi fanno musica dal vivo, vero?

Angelo risponde di sì e propone di andare prima a mangiare qualcosa.

❍ ....

● Buona idea.

Angelo chiede a Luca se deve andare a prenderlo da qualche parte.

❍ ....

● No, non c'è bisogno. Passo io da te. Verso le otto va bene?

Angelo risponde che va benissimo e dice che si vedono più tardi.

❍ ....

Che bella casa!

1 **Completate l'annuncio con le parole date.**

riscaldamento ◆ Affittasi
commerciali ◆ Soggiorno
mezzi ◆ Ultimo ◆ abitabile
tranquilla ◆ bagni

.... ZONA CITTÀ STUDI
.... piano – 3 vani. ....
luminoso, cucina ...., 2 ....,
balcone, cantina, ... centralizzato,
ascensore. Zona ...., vicina a
.... pubblici e servizi ....

2 **Trovate, per ciascuno dei seguenti verbi, dei sostantivi sul tema "la casa nuova".**

appendere	mettere
le tende	....
....	....
....	....
....	....

montare	imbiancare
....	....
....	....

3 **Gianni e Maria hanno rinnovato il loro soggiorno. Che cosa hanno già fatto e che cosa devono ancora fare?**

La moquette l'hanno già messa.
I lampadari non li hanno ancora appesi.
Le pareti ....
Lo specchio ....
....
....
....
....

4 Completate il testo con l'aggettivo *bello*.

La casa di Serena è proprio bella! C'è un .... ingresso grande con dei .... specchi antichi, un .... soggiorno luminoso con dei .... quadri, una .... cucina spaziosa con un .... tavolo da pranzo, due .... bagni moderni con delle .... piastrelle color sabbia, un .... studio elegante, una .... camera per gli ospiti e infine un .... balcone con delle .... piante. Insomma, è proprio tutto bellissimo!

5 Al mercatino delle pulci possiamo trovare di tutto! Scrivete il nome degli oggetti raffigurati.

1 ....
2 ....
3 ....
4 ....
5 ....
6 ....

6 Marisa scrive alla rivista *Case Belle* chiedendo un consiglio per rinnovare il suo soggiorno. Confrontate il testo con il disegno in basso e sottolineate la forma corretta.

Gentile redazione di Case Belle,
vorrei un suggerimento per rinnovare il mio soggiorno. Vi mando a parte una pianta e la lista dei miei mobili.
Grazie, saluti
Marisa (Bari)

Cara Marisa, ecco la nostra proposta per migliorare la disposizione dei mobili del Suo soggiorno. Il tavolo lo può mettere sul / accanto al tappeto a sinistra / destra della porta del balcone e nell'angolo / sotto la finestra ci può mettere una bella pianta. Il divano, le poltrone e la libreria invece li abbiamo messi a sinistra / destra. Il divano l'abbiamo messo di fronte / davanti alla porta del balcone. Di fronte / Accanto alla porta del balcone abbiamo invece previsto il tavolino per il televisore e sulla parete a sinistra del / accanto al divano le librerie. Il tavolino di vetro è tra / dietro le due poltroncine bianche. Con una bella tenda a righe il Suo soggiorno sarà perfetto!

7 **La signora Medina è interessata a comprare un appartamento. Completate il dialogo con le espressioni nel riquadro.**

Sono grandi le stanze? ◆ Il garage non c'è, vero? ◆ Buongiorno, sono Anna Medina. Ho visto il vostro cartello per l'appartamento in vendita in via Vannucci. ◆ A martedì allora. ArrivederLa. ◆ 37. ◆ Senta, quante stanze ha? ◆ Ho capito. Senta, l'appartamento mi interessa. Quando lo posso vedere? ◆ Il pavimento come'è? ◆ C'è un balcone? ◆ Sì, va bene. Verso le quattro?

● Agenzia Tecnocasa, buongiorno.

❍ ....

....

● Che numero?

❍ ....

● Ah sì, mi dica.

❍ ....

● Sono due camere e un soggiorno, cucina e bagno.

❍ ....

● Il soggiorno è molto grande, le camere sono una un po' più grande e una più piccola.

❍ ....

● Dunque, in soggiorno c'è il parquet, nelle altre stanze ci sono le piastrelle.

❍ ....

● Purtroppo no, però c'è una grande veranda.

❍ ....

● No, però si può affittare un posto macchina nel garage di via Sicilia.

❍ ....

● Va bene martedì prossimo nel pomeriggio?

❍ ....

● Sì, facciamo alle quattro davanti al palazzo.

❍ ....

● ArrivederLa.

8 **Scrivete la prima persona singolare del *condizionale presente* dei seguenti verbi.**

potere	–	volere	–	abitare	– ....
prendere	–	tornare	–	capire	– ....
avere	–	essere	–	scrivere	– ....
cambiare	–	dormire	–	mettere	– ....

9 Completate le forme verbali di *parlare*, *mettere* e *sentire*.

parler...........	mett...........ei	sent...........ei
parl...........esti	metteres...........	sentir...........ti
parlere...........e	mette...........bbe	sentireb...........
parler...........mo	mettere...........o	senti...........mmo
parleres...........	mett...........este	sentir...........te
parlerebb...........o	mettere...........ero	sentirebbe...........

10 Completate il testo con i verbi al *condizionale presente*.

Marco ed Angela hanno cambiato casa. Adesso abitano in centro. Sono molto contenti, dicono addirittura che non .... (tornare) più in un piccolo paese e non .... (cambiare) la loro casa con nessun'altra. Anch'io .... (andare) a vivere in centro. Lì ci sono tutte le comodità e per andare al lavoro .... (potere) prendere il tram. Ma ad Antonio abitare in centro non .... (piacere). Non sa se .... (potere) vivere in mezzo a tanta gente, non .... (sentirsi) a suo agio e magari .... (essere) ancora più stressato. Probabilmente .... (potere) convincerlo solo una casa in un quartiere abbastanza tranquillo e con un po' di verde intorno.

11 Cosa farebbero queste persone con 5.000 euro? Completate i testi con il *condizionale presente* dei verbi dati.

comprare ◆ pagare ◆ passare ◆ fare ◆ andare ◆ mettere in banca ◆ spendere

1

«Con 5.000 euro .... un violino a mia figlia e le .... le lezioni.»

2

«Con 5.000 euro .... due mesi di vacanza in Umbria e .... un corso d'italiano all'Università per Stranieri di Perugia.»

3

«Io con 5.000 euro .... in vacanza ed il resto lo ....»

4

«Io quest'anno mi sposo quindi questi soldi li .... per un bel vestito da sposa.»

12 **Completate le risposte con il *ci*, come nell'esempio.**

● Con chi vai stasera al cinema?

○ *Ci vado* con Alberto.

1. ● Caterina quest'estate va ancora a Portofino?
   ○ Certo. Lo sai anche tu che .... tutti gli anni.
2. ● Tua madre resta ancora un po' a Montecatini?
   ○ Sì, ... ancora una settimana.
3. ● Come vai al concerto domani, in macchina?
   ○ No, ... in metropolitana, così non devo cercare un parcheggio.
4. ● Siete già stati in Francia?
   ○ No, non .... mai ....
   Però forse .... a Pasqua.
5. ● Sabato andate a teatro, vero?
   ○ No, ... venerdì.
6. ● Quando pensate di andare a sciare la prossima volta sulle Dolomiti?
   ○ Abbiamo già prenotato. .... a fine febbraio.
7. ● I bambini rimangono tutto il fine settimana dai nonni?
   ○ Sì, ... fino a domenica pomeriggio.

13 **Riformulate le seguenti frasi inserendo il *superlativo assoluto* degli aggettivi dati.**

difficile | alto | caro | antico | basso | poco

A Bolzano la gente guadagna molto bene.
A Bolzano il reddito pro capite è altissimo.

1. A Trento la gente vive molto bene.
   A Trento la qualità della vita ....
2. A Milano le case costano molti soldi.
   ....
3. A Roma molti monumenti hanno più di duemila anni.
   ....
4. A Sondrio la disoccupazione è solo del 3%.
   ....
5. In alcune città trovare lavoro è un problema.
   ....
6. Ad Aosta non c'è quasi criminalità.
   ....

14 **Osservate la graduatoria in tabella e scrivete quale posto occupano le varie città nelle categorie date.**

1. Nella categoria **Popolazione** ...
... Verona *è al dodicesimo posto.*
... Roma ....
... Bari ....
... Napoli ....
... Palermo ....
2. Nella categoria **Reddito disponibile per abitante** ...
... Padova ....
... Messina ....
... Trieste ....
... Firenze ....
... Venezia ....
3. Nella categoria **Ambiente** ...
... Ferrara ....
... Mantova ....
... Varese ....
... Bolzano ....
... Lecco ....

	Popolazione	Reddito disponibile per abitante	Ambiente
1	Roma (2.775.250)	Milano	Cremona
2	Milano (1.369.231)	Bologna	Mantova
3	Napoli (1.067.365)	Verona	Bergamo
4	Torino (962.507)	Padova	Sondrio
5	Palermo (698.556)	Brescia	Pavia
6	Genova (678.771)	Firenze	Belluno
7	Bologna (404.378)	Torino	Bolzano
8	Firenze (403.294)	Roma	Ferrara
9	Bari (342.309)	Genova	Arezzo
10	Catania (333.075)	Trieste	Biella
11	Venezia (309.422)	Venezia	Livorno
12	Verona (255.824)	Cagliari	Grosseto
13	Taranto (232.334)	Bari	Lecco
14	Messina (231.693)	Messina	Massa
15	Trieste (231.100)	Palermo	Varese

15 **Abbinate le città alle affermazioni date.**

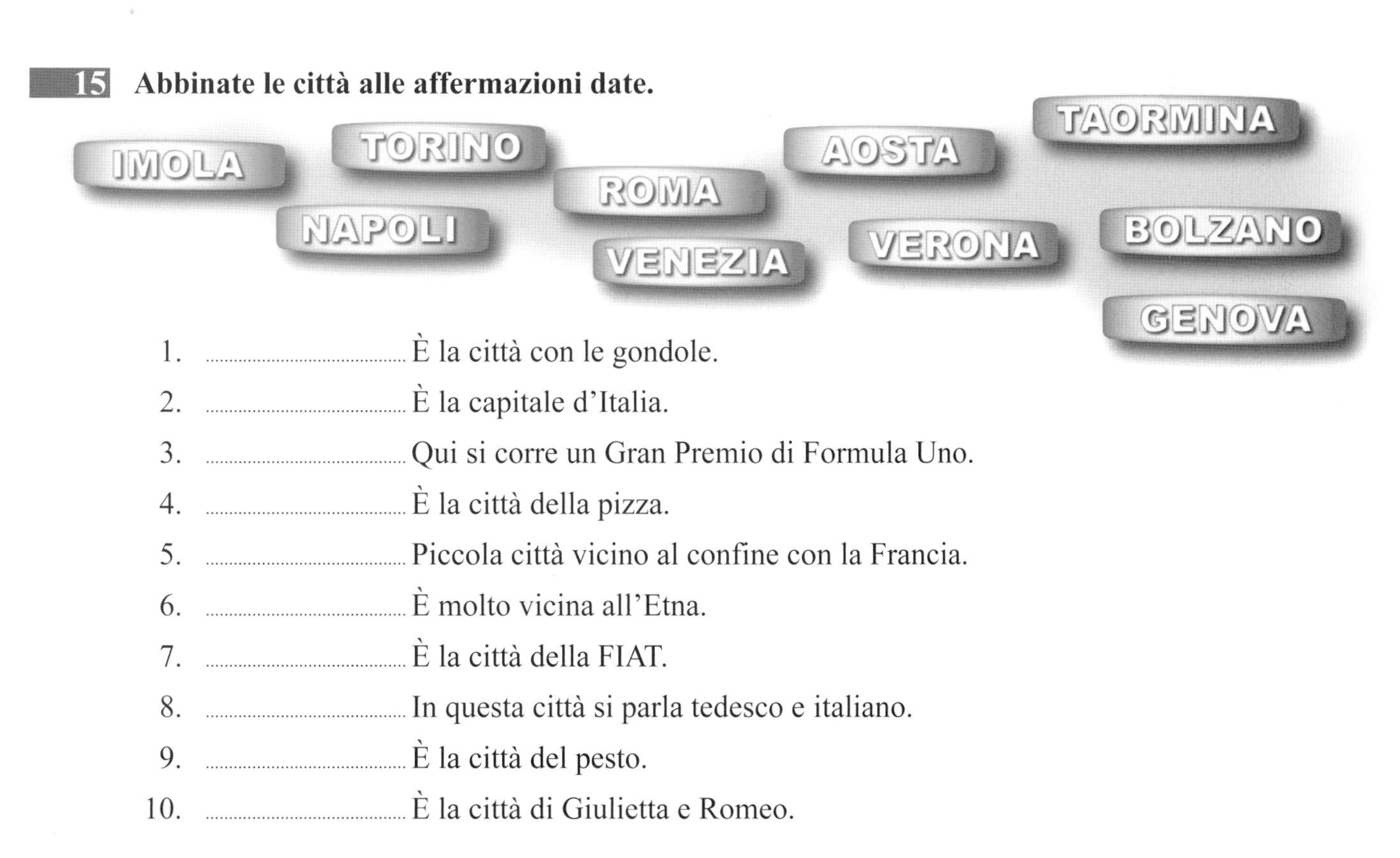

1. .... È la città con le gondole.
2. .... È la capitale d'Italia.
3. .... Qui si corre un Gran Premio di Formula Uno.
4. .... È la città della pizza.
5. .... Piccola città vicino al confine con la Francia.
6. .... È molto vicina all'Etna.
7. .... È la città della FIAT.
8. .... In questa città si parla tedesco e italiano.
9. .... È la città del pesto.
10. .... È la città di Giulietta e Romeo.

ESERCIZI

4 *Come sto bene!*

1 Al signor Bongusto piace tanto mangiare e cucinare. Per sapere cosa significa per lui mangiare bene, completate il testo con gli aggettivi dati a destra.

genuini · magri · sani · piccante · fresche · grassi · secchi · dolci

Secondo il signor Bongusto i cibi devono essere ...., ... e saporiti. È chiaro che la frutta e la verdura devono essere .... La carne e i salumi gli piacciono piuttosto ...., ma non sa resistere davanti a un buon salame .... o a formaggi .... come il gorgonzola, che è la sua passione. Tra i dessert preferisce biscotti e dolcetti ...., le torte elaborate e molto .... non gli piacciono.

2 Completate con il *si* e la forma opportuna dei verbi dati.

La cucina italiana è ormai nota in tutto il mondo. La pizza e la pasta .... dappertutto, ma non .... sempre la varietà delle cucine regionali. .... che generalmente in Italia .... bene, cioè che .... alimenti freschi di ottima qualità e che molti piatti non sono solo buoni ma anche sani. Per esempio in Italia .... molto l'olio di oliva mentre il burro e la panna .... meno. .... molti sughi freschi e .... molte verdure. Anche il pesce, che fa molto bene, ... facilmente sulle tavole e .... piuttosto spesso.	*mangiare* ◆ *conoscere* *sapere* *mangiare* ◆ *usare* *usare* *usare* *preparare* ◆ *consumare* *trovare* *cucinare*

3 Inserite i verbi o i sostantivi mancanti.

1.	–	la fabbricazione
2. produrre	–	....
3.	–	l'uso
4.	–	l'impiego
5. conservare	–	....
6.	–	la stagionatura

4 **Sandro è tornato dalle vacanze ed ora telefona ai suoi amici. Completate le varie conversazioni telefoniche con il *gerundio* dei verbi dati.**

Ciao, sono Sandro. Ti disturbo? Cosa stai facendo?

1. Sandro, ciao! Niente. Sto .... (leggere) il giornale. Quando sei arrivato?

2. Ah, Sandro, sei tornato! Sto .... (guardare) la TV. Vuoi passare a bere qualcosa?

3. Ehi, ciao! No, no, non disturbi. Sto .... (cercare) di risolvere un problema al computer, è un disastro ...

4. Sandro! Bentornato! Senti, sto .... (cucinare). Ti posso richiamare dopo?

5. Ciao! Puoi aspettare un attimo? Sta .... (venire) su il postino con un pacco ... torno subito!

5 **Con amici e parenti la famiglia Frena fa un picnic nel parco. Che cosa stanno facendo le singole persone in questo momento?**

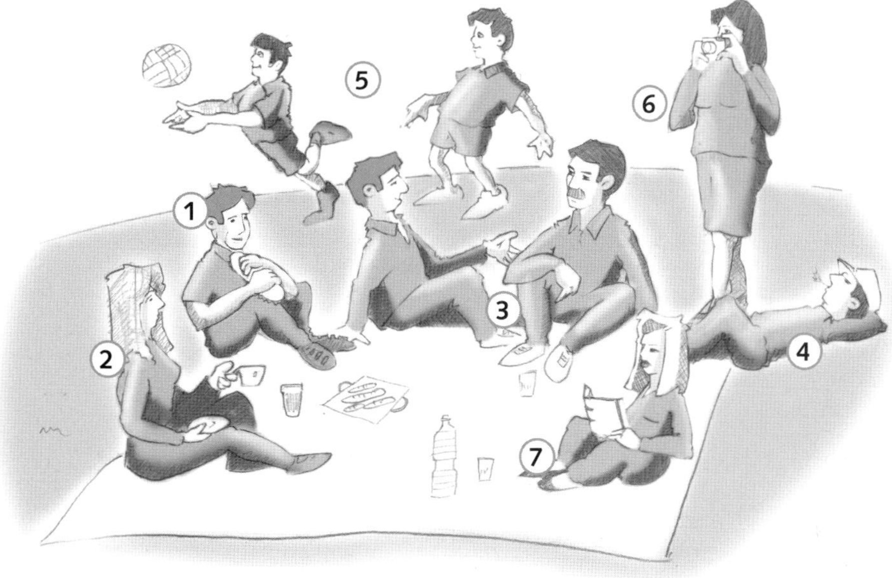

1. Claudio ....
2. Luisa ....
3. Paolo e Enzo ....
4. Lo zio ....
5. I bambini ....
6. La zia ....
7. Gabriella ....

6 Completate le seguenti frasi con i verbi dati. Dove potete usare il gerundio?

1. Ieri Matteo .... (fare) una passeggiata in spiaggia.
2. Carla vorrebbe ancora fare la spesa, ma i negozi .... già .... (chiudere).
3. Sandro oggi .... (partire) per la Liguria.
4. In questo momento non .... (noi ◆ fare) niente di speciale.
5. Piano, il bambino .... (dormire)!
6. Giulia .... (dovere) ancora fare i compiti.
7. Ho finito di leggere il nuovo giallo di Camilleri, adesso .... (leggere) il libro che mi hai dato tu.
8. Da un po' di tempo Renata .... (lavorare) a tempo pieno.

7 Robertino sta apparecchiando tavola per la prima volta. Che cosa manca ancora?

8 Osservate i disegni e scrivete i verbi corrispondenti.

Soluzione:

....

9 Completate la ricetta delle "Tagliatelle al prosciutto" con i verbi dati.

aggiungere

condire

tagliare

mescolare

bollire

mettere

versare

Tagliatelle al Prosciutto

PER 6 PERSONE

Ingredienti

500 gr. di tagliatelle all'uovo
150 gr. di prosciutto (una fetta)
100 gr. di burro
4 cucchiai di salsa di pomodoro
parmigiano reggiano
cipolla
vino bianco

Preparazione

In una pentola far .... l'acqua per la pasta. Separare la parte magra da quella grassa della fetta di prosciutto crudo e .... tutto a dadini. In una piccola casseruola rosolare un pezzetto di cipolla e il grasso del prosciutto in un etto di burro, poi unire anche la parte magra del prosciutto e far soffriggere due o tre minuti. .... un po' di vino bianco secco, ... 4 cucchiai di salsa di pomodoro, sale e pepe e far cuocere ancora per 10 minuti. Quando l'acqua bolle mettere giù le tagliatelle, ... e far cuocere al dente. Infine scolare e .... le tagliatelle in una terrina ben calda e .... poi con il sugo e il parmigiano reggiano.

10 Completate le seguenti frasi con *ci vuole/ci vogliono* e gli elementi dati alla rinfusa.

Per fare la caprese ....

Per produrre un chilo di parmigiano ....

Per il tiramisù ....

Per fare gli gnocchi alla romana ....

Per il minestrone ....

Per fare gli spaghetti aglio e olio ....

il semolino
diversi tipi di verdure
il peperoncino
il mascarpone
16 litri di latte
i pomodori e la mozzarella

11 Scrivete gli sport che possiamo praticare nelle seguenti stagioni e situazioni.

Volete restare in forma? Ci sono tante possibilità!

1. In estate si può *nuotare al mare, fare jogging nel parco,* ....
....
2. In inverno, invece, è bello ....
3. Con più persone è possibile ....
....
4. Chi non vuole spendere molti soldi può ....
....

12 Il signor Carapelli è andato dal suo medico di fiducia per fare un check-up. Completate il dialogo con le espressioni date nel riquadro.

Sì, purtroppo in questo periodo ho tanto da fare. ◆ Oh, io non sono proprio un tipo sportivo. ◆ Mah, da un po' di tempo mi sento sempre stanco e affaticato. ◆ Ma come posso fare ... io non so resistere al cibo. ◆ E cosa posso fare, dottore?

● Allora signor Carapelli, cosa si sente?

○ ....

● Ma lavora molto?

○ ....

● Allora, probabilmente è solo un po' di stress.

○ ....

● Beh, innanzi tutto dovrebbe cercare di rilassarsi e magari fare un po' di sport.

○ ....

● Almeno potrebbe fare delle passeggiate, stare un po' all'aria aperta.
E inoltre dovrebbe perdere anche un po' di peso.

○ ....

● Basterebbe evitare i dolci e i cibi grassi e moderarsi nel consumo degli alcolici.

13 Completate con *basta* o *bisogna*.

1. ● Con l'ultima dieta non ho perso nemmeno un chilo. Tu cosa hai fatto per dimagrire così?
   ○ Mah, in fondo .... evitare i grassi e i dolci.
   ● Eh, ma è questo il problema. .... controllarsi sempre ...
2. ● Qui a Camogli vi consiglio la trattoria Stella del Mare. È molto carina e non è cara. Però a volte .... aspettare perché non accettano prenotazioni.
   ○ E a che ora .... andare per non aspettare tanto?
   ● Guarda, secondo me .... arrivare verso le otto e non andarci il sabato sera.

14 Fate dei confronti, come nell'esempio.

vacanza in campeggio ◆ soggiorno in albergo ◆ costoso

Una vacanza in campeggio è meno costosa di un soggiorno in albergo.

1. il gorgonzola ◆ la mozzarella ◆ grasso

   ....

2. passeggiata ◆ marcia ◆ impegnativo

   ....

3. serata con gente noiosa ◆ una serata davanti alla TV ◆ divertente

....

4. olio d'oliva ◆ burro ◆ sano

....

5. jogging ◆ fitwalking ◆ faticoso

....

6. fine settimana in campagna ◆ breve viaggio in una città ◆ rilassante

....

15 **Italia, un Paese di ... superlativi! Formulate delle frasi con le parole date, come nell'esempio.**

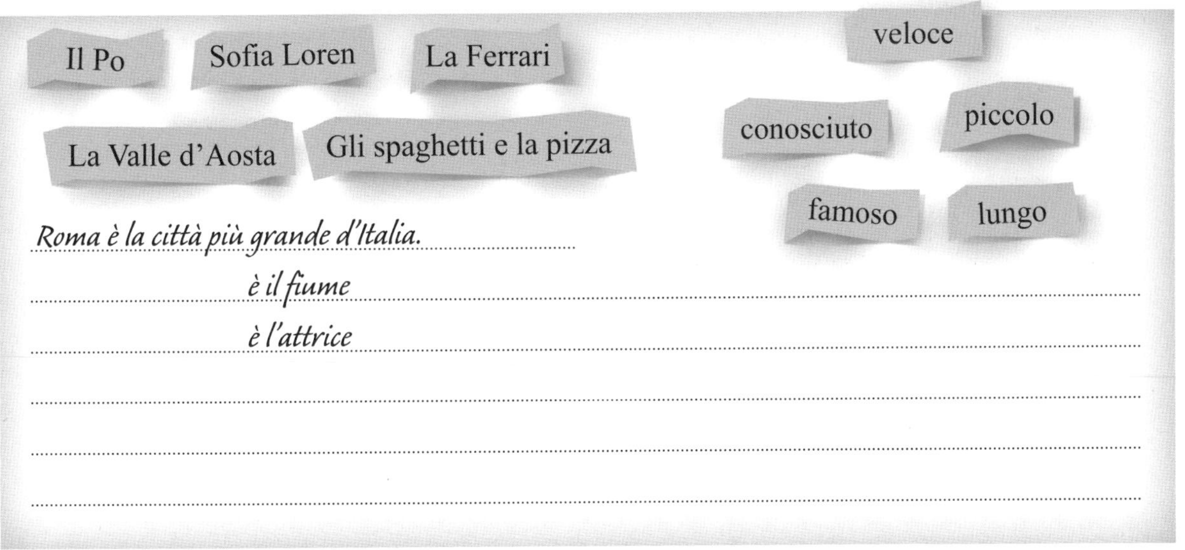

16 **Abbinate ciascun proverbio alla corrispondente spiegazione.**

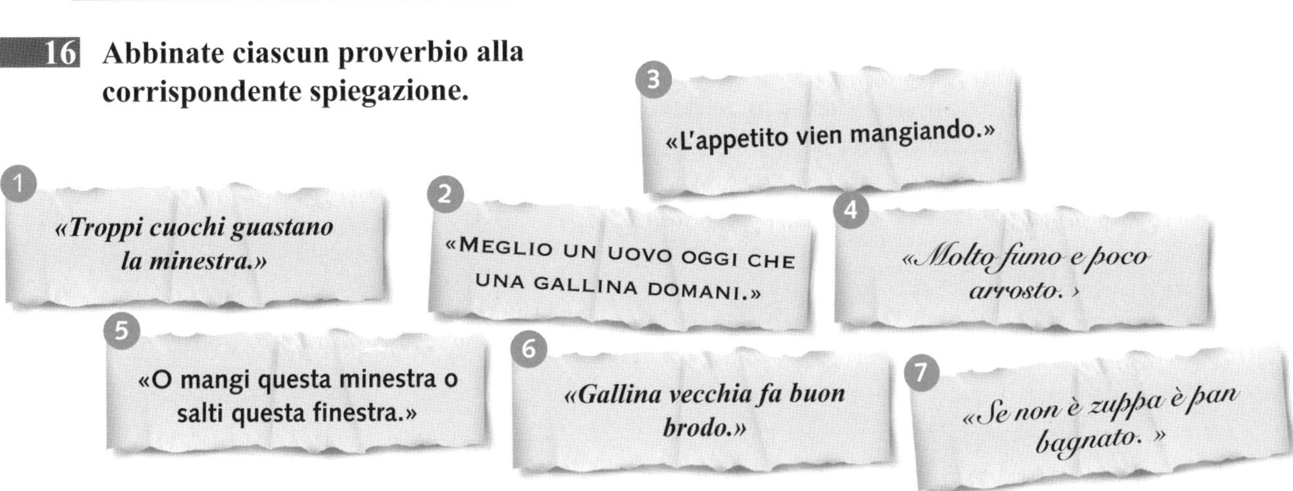

a) A volte un'attività ci comincia a piacere solo quando l'abbiamo iniziata.
b) Se troppe persone lavorano ad una cosa, il lavoro non riesce bene.
c) È preferibile avere qualcosa di piccolo oggi piuttosto che qualcosa di grande domani.
d) Molta apparenza e poca sostanza.
e) Non ci sono più alternative, non c'è altra via d'uscita.
f) Anche se si chiama una cosa in un altro modo, la cosa resta la stessa.
g) Spesso l'esperienza di persone di una certa età è molto utile.

ESERCIZI 5

Qui prima c'era ...

1 **Inserite le parole che qui sono spiegate con una perifrasi e trovate la parola nascosta.**

1. il pelouche e il pallone sono ... [ ][ ][ ][ ][ ][ ][6][ ][15][ ]
2. il telefono, il computer, il fax sono mezzi di ... [ ][ ][1][14][ ][ ][ ][ ][ ][ ][ ][ ][9]
3. cento anni sono un ... [ ][2][ ][ ][11][ ]
4. sentimento simile alla nostalgia [ ][ ][ ][13][ ][ ][ ][ ][7]
5. per una notizia urgente si scrive una mail o un ... [ ][12][ ][ ][ ][3][ ][ ][ ][ ]
6. il primo periodo della nostra vita [ ][ ][ ][ ][ ][ ][17][ ]
7. se la metti vicino all'orecchio senti il rumore del mare [ ][ ][ ][4][ ][ ][ ][10][ ][ ]
8. esiste a 33 e a 45 giri [8][ ][ ][16][ ]
9. serve per filmare eventi privati a casa [ ][ ][ ][ ][ ][ ][ ][5][ ][ ][ ][ ]

Soluzione: [1][2][3][4][5][6][7] [8][9][10][11][12] [13][14][15][16][17]

2 **Sostituite, come nell'esempio, le parole evidenziate con le espressioni date di significato uguale.**

Ho una passione per | Mi entusiasmano | Non sopporto | ~~Adoro~~ | Conservo | Ho nostalgia dei

Mi piace molto giocare a tennis.
Adoro giocare a tennis.

1. Mi piace tantissimo la musica jazz.
....

2. Non mi piace per niente l'inverno.
....

3. Mi piacciono le canzoni di Vasco Rossi.
....

4. Penso con rimpianto ai tempi passati.
....

5. Tengo tutte le foto dei miei nonni.
....

3 Rispondete alle seguenti domande; usate le forme dell'esercizio 4.

A voi piacciono le canzoni degli anni '50?

I fantastici anni '50
Jula de Palma, Renato Carosone, Nicola Arigliano, Narciso Parigi, Franco e i G.5, Fred Buscaglione, Renato Rascel, Bruno Martino
4cd box

1. A te piacciono le canzoni degli anni '50?

   ....

2. E le canzoni di musica leggera italiana dei nostri giorni, ti piacciono?

   ....

   ....

3. Al tuo vicino di banco piacciono le canzoni degli anni '50 o quelle di oggi?

   ....

   ....

4 Completate con i pronomi dati.

1. ● Ragazze, guardate questo scooter! Non è bellissimo?
   ❍ .... sinceramente non piace molto. E ...., Gianna?
   ■ Neanche ....
   ● Beh, anche se .... non piace, io lo comprerei subito!

a me
a te
a voi
a me

2. ● Ah! Le foto del fine settimana al mare. Fa vedere ...
   Ma che posto è questo?
   ❍ .... sembra Marina di Carrara.
   ■ .... invece sembra Marina di Massa.
   ❑ Sì, è Marina di Massa. E quello sotto l'ombrellone è Gianni.
   .... non piace prendere il sole.

a me
a lui
a me

3. ❍ Ascolta Paolo, allora domani quando arriviamo all'albergo
   telefoniamo alla mamma, va bene?
   ● No, non telefonate ...., domani sta a casa nostra.
   È meglio se telefonate ....
   ❍ Ah, d'accordo, facciamo così.

a lei
a noi

5 Completate i brevi dialoghi con i pronomi indiretti di forma tonica o atona.

1. ● Guido, ... piace giocare a tennis?
   ❍ No, non .... piace molto.
   ● .... invece piace tantissimo.

2. ● Il sabato andiamo spesso in discoteca perché .... piace ballare.
   ❍ .... invece non piace ballare. Preferiamo andare a vedere un bel film.

3. ● Quando Andrea va in vacanza .... scrive sempre una cartolina.
   ❍ Davvero? .... non scrive mai!

4. ● Per stasera ho pensato di fare la polenta. A Manuela e Giorgio piace, vero?
   ❍ .... sì, al bambino però non piace molto.

6 **Completate il testo con i verbi dati nel riquadro. Prima leggetelo per avere un'idea del contenuto.**

trascorrevano ◆ partivano ◆ avevano ◆ era (2x) ◆ si chiamava ◆ esistevano ◆ trasportavano ◆ andavano

La navigazione sul Brenta, il fiume che da Padova porta a Venezia, comincia nella seconda metà del 1300. La riviera del fiume Brenta per i veneziani .... una continuazione del Canal Grande. Lungo il fiume, i nobili .... le loro residenze di campagna dove .... la «villeggiatura», le vacanze. I nobili .... da Venezia in gondola o con comode imbarcazioni chiamate «burchielli». I burchielli .... dame, nobili ed avventurieri, commedianti ed artisti, così il viaggio .... sempre affascinante e divertente. Durante la «villeggiatura» i nobili .... da una villa all'altra, da una festa all'altra. Questo modo di passare il tempo .... «andar per ville». .... diversi tipi di villa: la villa-azienda, la villa-tempio e la villa-reggia. Erano grandi architetti come Palladio a progettare queste ville che si possono ammirare ancora oggi.

7 **Scrivete, in base al numero del dado, la forma corretta dell'*imperfetto*, come nell'esempio.**

andare	*andavi*	venire	....
esistere	*esistevano*	avere	....
prendere	....	dire	....
partire	....	parlare	....
dovere	....	finire	....
fare	....	chiamare	....

8 **Completate le frasi, come nell'esempio.**

Luca *ama* stare in mezzo al verde. Anche da bambino *amava* giocare in giardino.

1. Lucia non sopporta il rumore. Già da bambina non .... la confusione.
2. Voi siete sempre in movimento. E pensare che da piccoli .... tanto tranquilli!
3. Mi addormento sempre tardi. Anche da bambino non .... mai presto.
4. È tanto che non prepari gli gnocchi. Prima li .... almeno una volta la settimana.
5. Come mai leggi così poco, Marcella? Da bambina .... tanto volentieri.

9 **Scrivete per ciascun verbo il sostantivo corrispondente.**

1. navigare – ....
2. collegare – ....
3. trasportare – ....
4. coprire – ....
5. allargare – ....
6. costruire – ....

10 **Lucia racconta come ha trascorso le vacanze estive nel corso della sua vita. Completate il racconto con i verbi mancanti all'*imperfetto*.**

Quando .... bambina, negli anni '60, ... le vacanze estive da mio nonno, in Piemonte. .... sempre in pullman con la mamma dal Castello Sforzesco. Il papà .... lavorare e .... a trovarci solo il fine settimana con la sua moto Guzzi. Poi, quando anche il papà .... le ferie .... da mio zio che .... ad Arona, sul Lago Maggiore. Negli anni '70 invece .... al mare, in Liguria, come moltissimi milanesi. Là .... i miei zii e mia cugina e tutti insieme .... sempre un sacco. Alla fine degli anni '70 .... ormai troppo grande per fare le vacanze con i miei genitori, ... andare con il mio ragazzo in giro per l'Italia. Negli anni '80 .... piuttosto viaggi all'estero per visitare le città e conoscere gente nuova. Negli anni '90 non .... più tanto le città ad interessarmi ma la natura. E oggi ... amo fare di tutto.

essere ◆ *passare*
partire
dovere
venire
prendere
andare ◆ *abitare*
andare
incontrare
divertirsi ◆ *essere*
preferire
fare
essere

11 **A Lorenzo cadono dalle mani alcuni oggetti mentre mette in ordine la sua camera. Oggetti che raccontano qualcosa della sua vita. Osservate le immagini e formulate delle frasi usando anche gli elementi dati.**

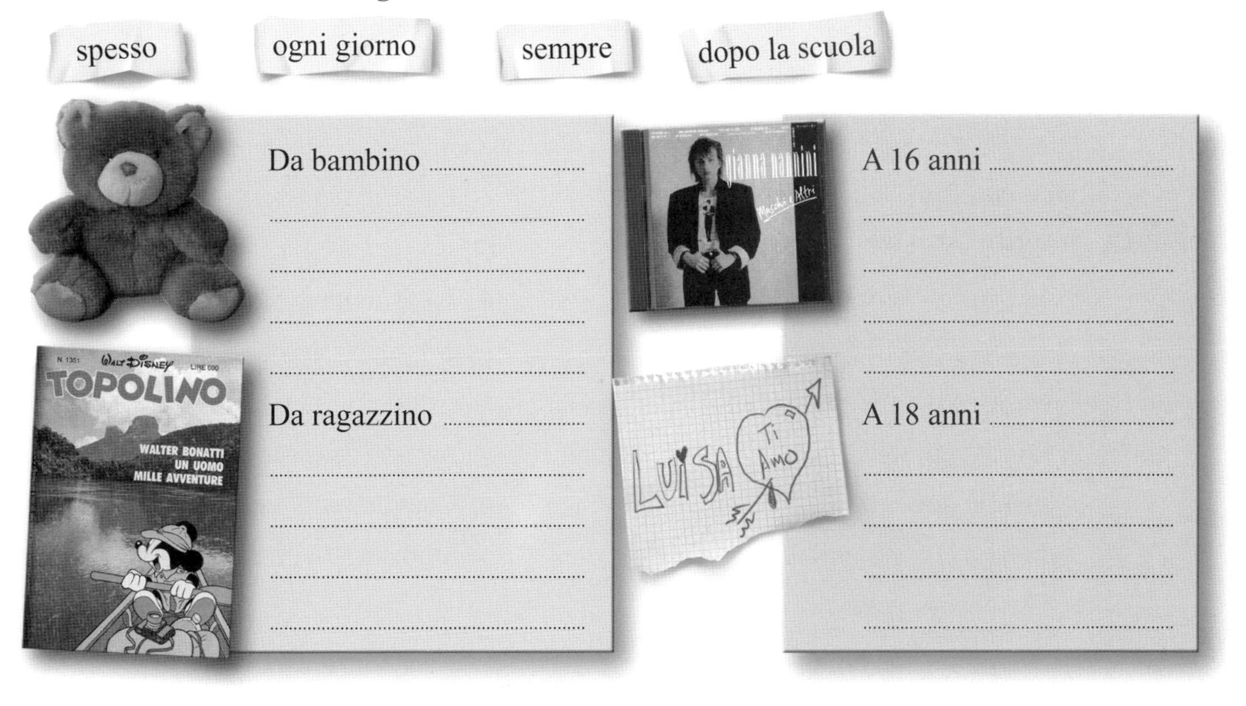

12 **Armando cerca un regalo per il compleanno di sua figlia Luisa. Completate il dialogo con le forme corrette di *quello*.**

● Senta, sto cercando un regalo per mia figlia. Quanto costano .... borse?
○ .... nera costa 115 euro, ... beige invece è meno cara, costa 90 euro. Sono tutte e due di pelle.
● E .... zaini?
○ .... costano 55 euro.
● Bello .... verde! Piacerebbe sicuramente a mio figlio ... per Luisa invece ... Ah, ... portamonete le potrebbe piacere. Quanto costa?
○ .... rosso di pelle? .... viene 100, ... altro un po' più piccolo invece costa 80 euro.
● Hmm, sono un po' cari però. Forse è meglio prendere una delle borse. Mi potrebbe far vedere .... beige?
○ Certo. È proprio carina.

13 **Rispondete liberamente alle domande, come nell'esempio, usando *questo* e *quello*.**

● Quale libro vogliamo regalare a Mario? Questo qui di Baricco o quello lì di De Carlo?
○ Quello lì di De Carlo.

● Quali stivali preferisci? ....
....
○ ....

● Qual è la tua borsa? ....
....
○ ....

● Quale formaggio vogliamo comprare? ....
....
○ ....

14 **Inserite *qui* o *lì*.**

1. In agosto sono stata in Sardegna. .... ho conosciuto Anna e con lei mi sono divertita un sacco.
2. Questo autobus .... va direttamente alla stazione.
3. Perché non ti siedi .... vicino? C'è ancora posto.
4. La fermata dell'autobus? Guardi, è .... in fondo, di fronte all'edicola.
5. Abito .... a Modena da sei mesi, ma non conosco ancora tanta gente.
6. Claudio, puoi venire .... un momento? Vorrei farti vedere una cosa.

15 **Rispondete alle seguenti domande. Scegliete una delle due varianti indicate nell'esempio.**

Dove potremmo incontrarci?

Ci potremmo incontrare ai Navigli. / Potremmo incontrarci ai Navigli.

1. A che ora posso chiamarti? (alle 9)

....

2. Dove posso parcheggiare la macchina? (fuori dal centro)

....

3. A che ora ti devi alzare domani? (alle 6)

....

4. Che cosa potremmo regalare a Riccardo? (un CD)

....

16 **Il signor Martin, durante le sue vacanze in Italia, vorrebbe noleggiare una macchina. Completate il dialogo, seguendo le indicazioni, con le battute mancanti.**

- Buongiorno!

Il signor Martin risponde al saluto e dice che ha intenzione di noleggiare una macchina.

○ ....

....

- Ha già pensato a che tipo di macchina vorrebbe noleggiare?

Il signor Martin risponde che preferirebbe una macchina piuttosto piccola, non troppo cara e chiede un consiglio al riguardo.

○ ....

....

....

....

- Beh, allora Le consiglierei una *Punto*. Con l'aria condizionata, per esempio costa, 50 euro al giorno, assicurazione compresa.

Il signor Martin dice che una Punto *potrebbe andar bene e chiede se fanno uno sconto noleggiando la macchina per una settimana intera.*

○ ....

....

....

- Sì, per una settimana intera costa 280 euro. Un attimo però che guardo cosa è rimasto. D'estate abbiamo sempre tante richieste. La viene a prendere oggi stesso?

Il signor Martin dice che va a prendere la macchina l'indomani.

○ ....

- Vediamo ... Allora sì, ma dovrebbe ritirarla solo dopo mezzogiorno.

Il signor Martin dice che è d'accordo, ringrazia e saluta.

○ ....

....

- ArrivederLa.

Perché non ti informi?

1 Completate i brevi dialoghi con *ecco + lo, la, li, le.*

1. ● Cosa stai facendo?
   ❍ Sto cercando un indirizzo ...
   Ah, ...!
2. ● Mamma, dove sono le mie scarpe da ginnastica?
   ❍ Ma è possibile che non trovi mai niente? .... qui.
3. ● Buongiorno, vorrei i moduli per l'iscrizione al corso.
   ❍ Certo, ...
4. ● Chi stai aspettando?
   ❍ Sto aspettando Maria che come sempre è in ritardo.
   ● .... là, sta arrivando di corsa come al solito!

2 Questo sito Internet offre consigli e informazioni sulle vacanze. Completate il testo con gli imperativi dati.

risparmia | Prenota | stampa | Realizza | scopri | Non viaggiare | Scarica

Euro-Download.Com - Netscape
File Modifica Visualizza Vai Communicator ?
Indietro Avanti Ricarica Home Ricerca Guida Stampa Sicurezza Arresta
Segnalibri Indirizzo: http://www.euro-download.com/

Hotel ★ Ristoranti
Cartine ★ Guide ★ Agriturismi

Viaggiare nel mondo

Italia ★ Europa
Città d'arte ★ Paesi Esotici

SCEGLI LA TUA DESTINAZIONE
Dove vuoi andare?
Cerca

Hotel: Tu scegli dove vuoi andare, noi ti diciamo indirizzi e prezzi di tutti gli hotel della zona! .... da solo e ....!

Cartine e mappe: Dall'Oceano Indiano ai canali di Venezia ... visualizza e .... subito la cartina che ti serve!

Guide turistiche: .... impreparato: .... e stampa le nostre guide per tutto il mondo!

Speciale bambini: Al mare o in montagna – .... con noi i posti e gli alloggi più belli per passare una vacanza rilassata e divertente con i tuoi bambini.

In crociera: Le destinazioni più belle, le navi più lussuose. .... il tuo sogno!

3 **Mario segue un corso di computer. Completate le istruzioni dell'insegnante con gli imperativi dati.**

scrivi ◆ apri ◆ cancella ◆ chiudi ◆ salva ◆ stampa ◆ copia

1. .... un nuovo documento.
2. Bene, adesso .... un breve testo.
3. .... il documento.
4. Ora .... la prima frase ...
5. ... e .... il testo in un altro documento.
6. Adesso .... la pagina ...
7. ... e .... il programma.

4 **Completate con un verbo alla 2ª persona singolare dell'*imperativo*.**

Che cosa preparo stasera per cena?
1 .... le tagliatelle ai funghi.

In questi giorni ho sempre mal di testa.
2 Ma allora .... dal medico.

A che ora devo venire domani?
3 .... verso le cinque.

Qui fa un po' freddo.
4 Ma allora .... la finestra.

In questo periodo sono a dieta.
5 Ma scusa, invece di morire di fame .... un po' di sport.

5 **Claudio e suo padre vanno a visitare il Duomo! Il papà, però, vuole essere sicuro che suo figlio si comporti bene. Osservando il disegno formulate alcune frasi, come nell'esempio.**

● Dai, metti il berretto nello zaino! E non parlare così forte come al solito, ti prego ...!

....

....

....

....

○ Ma dai! Non sono mica un maleducato ...!

6 **Conoscete il quiz televisivo *La ruota della fortuna*? Nelle seguenti espressioni riguardanti il mondo del lavoro e del volontariato mancano soltanto le vocali.**

1. L _ B _ R _   P R _ F _ S S _ _ N _ S T _
2. _ S P _ R _ _ N Z _   L _ V _ R _ T _ V _
3. L _ _ R _ _   _ N   L _ T T _ R _
4. _ S P _ R T _   D _   M _ R K _ T _ N G
5. D _ F _ S _   D _ L L' _ M B _ _ N T _
6. _ M P _ G N _   C _ V _ C _

7 **Completate il testo con le parole date.**

tutela ◆ volontariato ◆ culturali ◆ pieno ◆ gratificazione ◆ fisioterapista ◆ libero ◆ campagna ◆ organizzazione

Franco Bianchi è .... all'ospedale Fatebenefratelli di Roma. Lavora a tempo .... ma anche nel tempo .... è molto attivo. Si dedica al .... in un'.................... che si occupa della .... dei beni .... Ultimamente hanno realizzato una .... di informazione sulla necessità di restaurare alcune opere d'arte della loro città. Franco a volte ha poco tempo per sé, ma d'altra parte la sua attività gli dà una grande .... personale.

8 **Inserite nella corretta colonna i sostantivi dati.**

volta ◆ donne ◆ problemi ◆ giorno ◆ studenti ◆ persone ◆ anno ◆ parole ◆ viaggi ◆ macchine ◆ libri ◆ regalo ◆ esempi ◆ amiche ◆ cosa

qualche	alcuni	alcune
....	....	....
....	....	....
....	....	....
....	....	....
....	....	....

9 Completate con *qualche* o *alcuni/e*.

Raimondo ha .... giorno di vacanza e ha deciso di andare con .... amici nel Parco Naturale della Maremma per fare .... escursione. Prima di partire ha cercato .... informazioni e l'indirizzo di .... pensione su Internet. Ora è pronto: ha già preparato lo zaino e sta aspettando gli amici che dovrebbero arrivare fra .... minuto.

10 Formate delle frasi con gli elementi dati, come nell'esempio.

Alla festa di Anna ◆ essere venuto ◆ alcuni ◆ vecchio ◆ amico
Alla festa di Anna sono venuti alcuni vecchi amici.

1. Qualche ◆ studente ◆ essersi ◆ iscritto ◆ all'esame
   ....
2. Al mercatino ◆ esserci ◆ alcuni ◆ libro ◆ usato ◆ molto interessante
   ....
3. In italiano ◆ esserci ◆ qualche ◆ verbo ◆ irregolare ◆ veramente difficile
   ....
4. Ieri Laura ◆ aver conosciuto ◆ alcune ◆ ragazza ◆ simpatico ◆ al centro giovanile
   ....
5. Se ◆ andare (voi) ◆ a Roma ◆ vi ◆ potere (io) ◆ dare ◆ alcuni ◆ indirizzo di alberghi
   ....
6. Aver preso (io) ◆ qualche ◆ giorno libero ◆ perché ◆ sentire il bisogno di ◆ riposare
   ....

11 Completate le seguenti frasi con *occuparsi di* o *dedicarsi a*.

1. Nel tempo libero leggo oppure .... fotografia.
2. Lavoro per una rivista di viaggi e .... fotografie che accompagnano gli articoli.
3. Dopo la nascita di mio figlio ho deciso di .... di più .... famiglia e ho chiesto di lavorare part-time.
4. Chi .... bambino quando andate al cinema o a cena da amici? Tua madre?
5. Da quando è in pensione mio padre .... giardino. Ama molto i fiori e .... con grande passione .... cura delle rose.
6. Mi fa sempre piacere .... gatto della mia vicina quando lei va in vacanza.
7. Sai che Annalisa nel tempo libero .... pittura?

12 **Nella libreria Feltrinelli. Sostituite i verbi in evidenza con l'*imperativo* corrispondente.**

Per favore, mi potrebbe far vedere il libro di Alessandro Barbero esposto in vetrina?
Per favore, mi faccia vedere il libro di Alessandro Barbero esposto in vetrina.

1. Potrebbe guardare quanto costa l'autobiografia di Roman Polanski?

   ....

2. Potrebbe dire alla sua collega che il nuovo libro di Laura Pariani mi è piaciuto tanto?

   ....

3. Potrebbe mandare la fattura al mio ufficio in via XX Settembre?

   ....

13 **Il signor Cadelli parla al telefono con la segretaria del signor Bruni. Completate il dialogo seguendo le indicazioni.**

Il signor Cadelli saluta, si presenta e dice che vorrebbe parlare con il signor Bruni.

● ....

○ Il signor Bruni? Sì un attimo, attenda in linea. Pronto, mi sente?

Il signor Cadelli risponde di sì.

● ....

○ Purtroppo il signor Bruni è in riunione. Vuol lasciar detto qualcosa?

Il signor Cadelli conferma e chiede, per cortesia, di dire al signor Bruni di richiamarlo più tardi.

● ....

○ Mah, probabilmente la riunione finisce tardi. Adesso sono già le cinque. Se vuole Le passo la dottoressa Franchi.

Il signor Cadelli risponde di no e aggiunge che preferirebbe parlare con il signor Bruni.

● ....

○ Allora, se per Lei va bene, La faccio richiamare lunedì mattina, quando torna in ufficio.

Il signor Cadelli dice di sì e chiede, per piacere, che non gli telefoni prima delle 9.

● ....

○ Senz'altro, non si preoccupi. La faccio chiamare alle 9.30. Va bene?

Il signor Cadelli dice che è d'accordo e ringrazia.

● ....

○ Di niente. Buonasera.

Il signor Cadelli saluta.

● ....

14 **Scrivete il nome degli elettrodomestici qui raffigurati.**

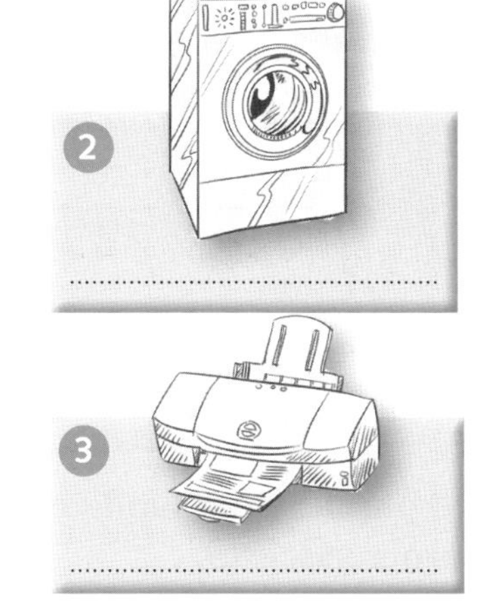

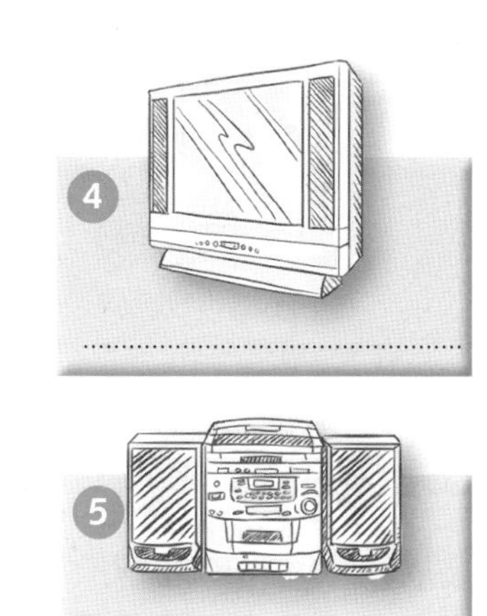

15 **Inserite i seguenti verbi all'imperativo nella colonna corretta.**

non faccia ◆ ascolta ◆ di' ◆ va' ◆ abbia ◆ non partite ◆ aspetti ◆ prendete ◆ state
non fare ◆ non dormire ◆ sia ◆ non vada ◆ uscite ◆ non credete

tu	Lei	voi
....	....	....
....	....	....
....	....	....
....	....	....
....	....	....

16 **Completate, con l'*imperativo* alla 2ª persona plurale, questo testo che vi consiglia come non perdere mai la pazienza.**

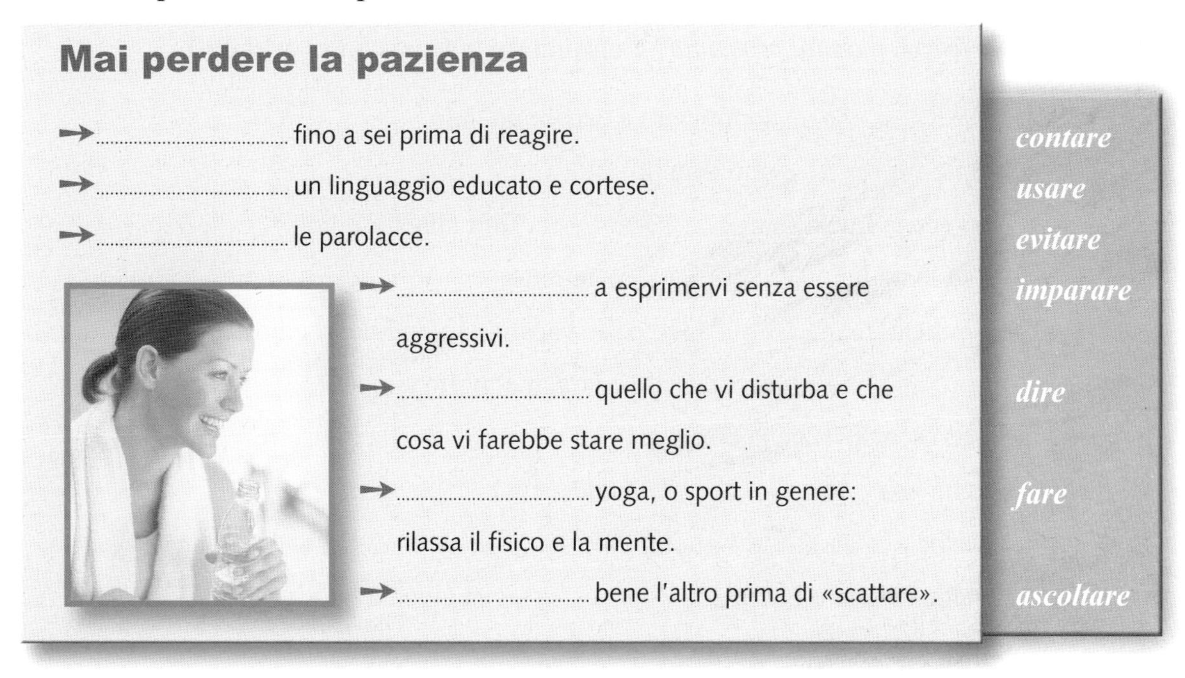

Mai perdere la pazienza

→ .... fino a sei prima di reagire.
→ .... un linguaggio educato e cortese.
→ .... le parolacce.
→ .... a esprimervi senza essere aggressivi.
→ .... quello che vi disturba e che cosa vi farebbe stare meglio.
→ .... yoga, o sport in genere: rilassa il fisico e la mente.
→ .... bene l'altro prima di «scattare».

contare
usare
evitare
imparare
dire
fare
ascoltare

ESERCIZI 8

Racconta un po'!

1 **Completate le seguenti parole, ricordando che a numero uguale corrisponde lettera uguale, e trovate la parola nascosta.**

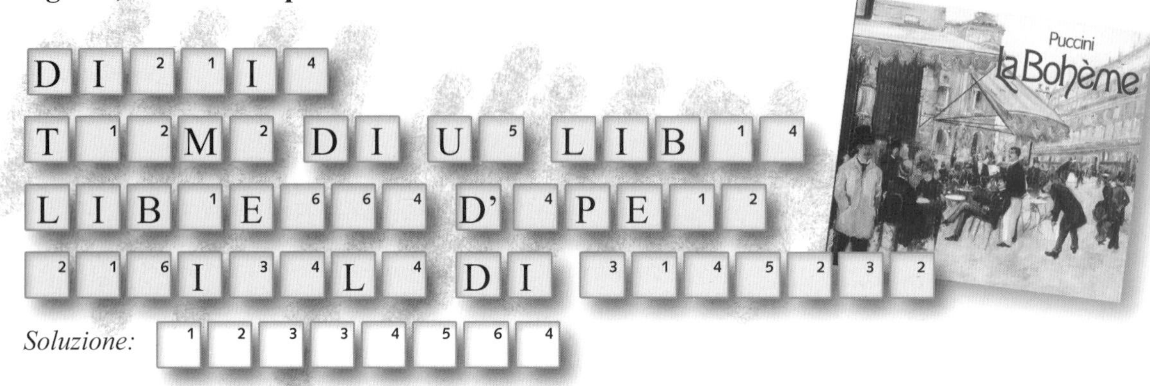

2 **Abbinate le frasi delle due colonne.**

1. Rosa si è comprata il vestito da sera	a) quando aveva appena 16 anni.
2. Pino è andato a Londra per la prima volta	b) ma era sempre occupato.
3. Sabato gli altri sono andati in discoteca,	c) che desiderava da tanto tempo.
4. Ho cercato di telefonarti ieri sera,	d) ma io non avevo voglia di uscire.

3 ***Imperfetto* o *passato prossimo*? Completate le frasi con i verbi dati.**

1. .... cominciare a cenare quando .... mio fratello.
2. Dopo cena Lucia .... un film alla TV e poi verso le undici .... a letto.
3. In Francia .... delle vacanze splendide: il cibo .... eccezionale e la gente molto simpatica.
4. Sabato scorso Tiziana non .... voglia di uscire perché non .... bene e così .... a casa e .... un po'.
5. Lunedì Valerio e Lucia .... al cinema e all'entrata .... degli amici.

volere (noi)
telefonare
guardare
andare
passare (io)
essere
avere
sentirsi ◆ *rimanere*
leggere
andare
incontrare

4 *Imperfetto* **o** *passato prossimo*? **Completate la seguente pagina di diario con i verbi dati, ma prima leggetela per avere un'idea del contenuto.**

Caro diario,
da due giorni sono senza macchina. Si è rotta in via Leopardi. .... già fretta perché .... tardi e non .... arrivare in ritardo al lavoro. E invece ecco che improvvisamente la macchina .... a fare dei rumori strani e dopo un po' .... completamente. Per fortuna proprio lì vicino .... un'autofficina che .... abbastanza affidabile.
.... lì la macchina e .... il tram. E sai una cosa? Non .... affatto una brutta esperienza. .... poca gente e .... un posto a sedere vicino al finestrino. Insomma, la macchina è pronta lunedì ma andare in tram adesso mi piace quasi di più ...

avere ◆ essere
volere
incominciare
fermarsi
esserci
sembrare
lasciare ◆ prendere
essere
esserci ◆ trovare

5 **Luca e Daniele stanno pensando di andare stasera al cinema. Leggete cosa dice Daniele e completate il dialogo con le domande di Luca.**

● ....
❍ Alla Multisala Corso danno *My name is Tanino.*
● ....
❍ Mah, parla di un ragazzo nato in un paesino italiano che va prima a Roma e poi a Boston alla ricerca di una ragazza. E questo ragazzo parla praticamente un inglese da terza media ...
● ....
❍ No, non ancora, ma dev'essere molto divertente. Carla l'ha visto la settimana scorsa.
● ....
❍ Sì, le è piaciuto molto. Ha detto che si è fatta un sacco di risate.

6 **Abbinate l'attore/attrice al film in cui ha recitato.**

7 **State parlando con amici italiani di film che avete visto negli ultimi anni (se necessario usate la vostra fantasia). Dite che cosa pensate di ...**

1. ... *Caro diario.*

....

2. ... *Nuovo Cinema Paradiso.*

....

3. ... *La vita è bella.*

....

4. ... *Il postino.*

....

8 **Sandro è tornato dalle vacanze in Sardegna e sta scrivendo a un amico un'e-mail su che cosa gli è piaciuto e che cosa non gli è piaciuto. Finite di scrivere l'e-mail in base agli elementi dati.**

🙂	🙁
la spiaggia dell'albergo il centro storico di Cagliari i ristoranti dei piccoli paesi	la camera il ristorante dell'albergo

Ciao Silvio, eccomi di ritorno dalla Sardegna. È stata proprio una bella vacanza, sai. La spiaggia dell'albergo era bellissima. Mi è piaciuta molto. E poi ...

....

....

....

....

....

....

....

9 **Collegate le due frasi con il *che relativo*, come nell'esempio.**

Questo libro è interessante. Paolo mi ha regalato il libro.
Il libro che mi ha regalato Paolo è interessante.

1. Questa cartolina è arrivata ieri. Mia zia mi ha scritto la cartolina da Roma.

....

2. Il computer funziona benissimo. Tu mi hai consigliato il computer.

....

3. Questa ragazza mi è molto simpatica. L'ho conosciuta al corso di yoga.

....

10 **Antonio, alla sua festa di laurea, spiega a sua sorella chi sono gli altri ospiti. Riformulate le frasi, come nell'esempio, usando i pronomi relativi *che* e *cui*.**

Con Mario vado spesso in palestra.
Mario è il ragazzo con cui vado spesso in palestra.

1. Ti ho parlato di Patrizia ieri al telefono.
   Patrizia è la ragazza ....
2. Ho conosciuto Bruno in biblioteca.
   ....
3. Con Simonetta e Raffaele mi sono preparato agli esami.
   ....
4. Raffaele si è innamorato di Francesca.
   ....
5. Tommaso mi ha consigliato tanti buoni libri.
   ....
6. Fra un mese vado in vacanza con Giuliano e Tiziano.
   ....

11 **La trama del film *Pane e tulipani* è in disordine. Numerate le frasi nell'ordine giusto.**

Monogatari presenta
pane e tulipani
un film di silvio soldini
licia maglietta
bruno ganz
Vincitore di
9 David di Donatello
9 Ciak d'oro
5 Nastri d'argento
dts
DVD Video

Pane e tulipani.

- [1] Rosalba è una donna di circa 40 anni
- [ ] voleva visitare. A Venezia conosce alcune persone
- [ ] per un po' di tempo. Poi un giorno un detective
- [ ] dove non è mai stata e che da tempo
- [ ] e lì comincia una nuova vita.
- [ ] piace molto, trova lavoro da un fioraio e resta lì
- [ ] cui lei va spesso a mangiare. A Rosalba Venezia
- [ ] la rintraccia e Rosalba decide di tornare
- [ ] che partecipa con la famiglia ad un breve viaggio organizzato. Quando il pullman
- [ ] senza di lei. Rosalba decide di non tornare subito a casa e va a Venezia, una città
- [ ] figlio più giovane, vede i suoi amici di Venezia
- [ ] che a poco a poco cambiano la sua vita, in particolare il cameriere di una trattoria in
- [ ] dalla sua famiglia. Un giorno, mentre esce dal supermercato con il
- [ ] che sono venuti a prenderla. Torna a Venezia con loro e il figlio
- [ ] si ferma ad un autogrill Rosalba va alla toilette e il pullman riparte

12 **La signora Santoni vuole andare a Pescara in treno. Completate il dialogo alla biglietteria con le battute mancanti.**

La signora Santoni chiede un biglietto per Pescara Centrale, per martedì.	○ Dica. ● ....
La signora Santoni risponde di no. Chiede un biglietto di andata e ritorno e chiede se deve cambiare ad Ancona.	○ Solo andata? ● ....
La signora Santoni dice che vorrebbe prendere un treno dopo le 8 di mattina.	○ Sì, esatto, bisogna cambiare ad Ancona. ● ....
La signora Santoni risponde che va bene e chiede quando ha la coincidenza ad Ancona.	○ Vediamo ... c'è un treno alle otto e ventinove, va bene? ● ....
La signora Santoni chiede quanto tempo il treno ci mette per Pescara.	○ La coincidenza ... parte alle dieci e cinquantasette. ● ....
La signora Santoni chiede se le serve la prenotazione.	○ Ci mette 3 ore e tre quarti. ● ....
La signora Santoni risponde che desidera un posto per non fumatori.	○ Sì, perché è un *Eurostar*. Fumatori o non fumatori? ● ....

13 **Che cosa pensano queste persone? Completate con le frasi date sotto.**

Adesso avrei proprio bisogno di aiuto.
Allora, mi servono le uova, il caffè, ...
Mi serve veramente un maglione nuovo.
Ho proprio bisogno di riposarmi.

4

14 **Completate le frasi con i verbi dati.**

1. Mentre Raffaella .... (prendere) il sole Guido le .... (leggere) i titoli del giornale.
2. Povera Francesca, ... (avere) un incidente con la macchina mentre .... (andare) a lavorare.
3. Mio nonno .... (fumare) sempre la pipa mentre .... (leggere).
4. Ieri sera .... (io - andare) al cinema, ma .... (essere) così stanca che .... (addormentarsi) mentre .... (guardare) il film.
5. Questa mattina mentre .... (io - andare) al mercato .... (incontrare) una ex compagna di scuola che non .... (vedere) da tanto.
6. Stamani mentre .... (io - fare) colazione .... (ascoltare) la radio e ad un certo punto .... (sentire) dell'incidente alla stazione.

15 **Completate le seguenti frasi con *avere bisogno* o *servire*.**

1. Noi .... ancora di un po' di tempo per finire questo lavoro.
2. Mia sorella non sa stare da sola. .... sempre di qualcuno con cui chiacchierare.
3. Ha telefonato tuo padre, ha detto che il portatile non gli .... più.
4. Per piacere, non prendere la macchina. Stasera .... a me.
5. Senti, io vado al mercato. .... di qualcosa?
6. Renato, se gli sci non ti .... li prendo io per questo fine settimana.

16 **Nelle seguenti frasi mancano singole parole riguardo il tema "viaggiare in aereo". Trovate le parole mancanti nel riquadro e completate le frasi.**

N	L	A	T	I	O	P	E	M	A	R	A
E	R	C	O	M	P	A	G	N	I	A	N
C	H	I	L	B	B	A	R	I	N	O	L
R	A	L	E	A	E	L	D	O	N	E	V
R	I	S	A	R	C	I	M	E	N	T	O
N	E	R	L	C	E	R	N	O	L	V	L
U	A	E	R	O	P	O	R	T	O	A	O

1. Per Natale quest'anno vado in California. Secondo te è meglio viaggiare con una .... aerea italiana o con una americana?
2. Dai Enrico, muoviti! Hanno già annunciato il nostro ....!
3. Senti, ti aspetto direttamente all'...................................., all'entrata del terminal.
4. Ma quando hanno cancellato il tuo volo ti hanno dato un ....?
5. Oddio, hanno già annunciato l'.................................... e io devo ancora fare il check-in!

ESERCIZI

10 Andrà tutto bene!

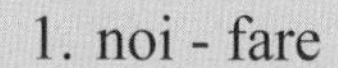

1 **Completate il cruciverba con i seguenti verbi al *futuro*.**

1. noi - fare
2. voi - uscire
3. io - dire
4. tu - essere
5. loro - discutere
6. loro - mettere
7. lui - andare
8. noi - riuscire
9. noi - essere
10. lei - ricordare
11. voi - vedere
12. voi - litigare
13. tu - avere
14. tu - rimanere
15. io - andare
16. lui - dare
17. io - potere

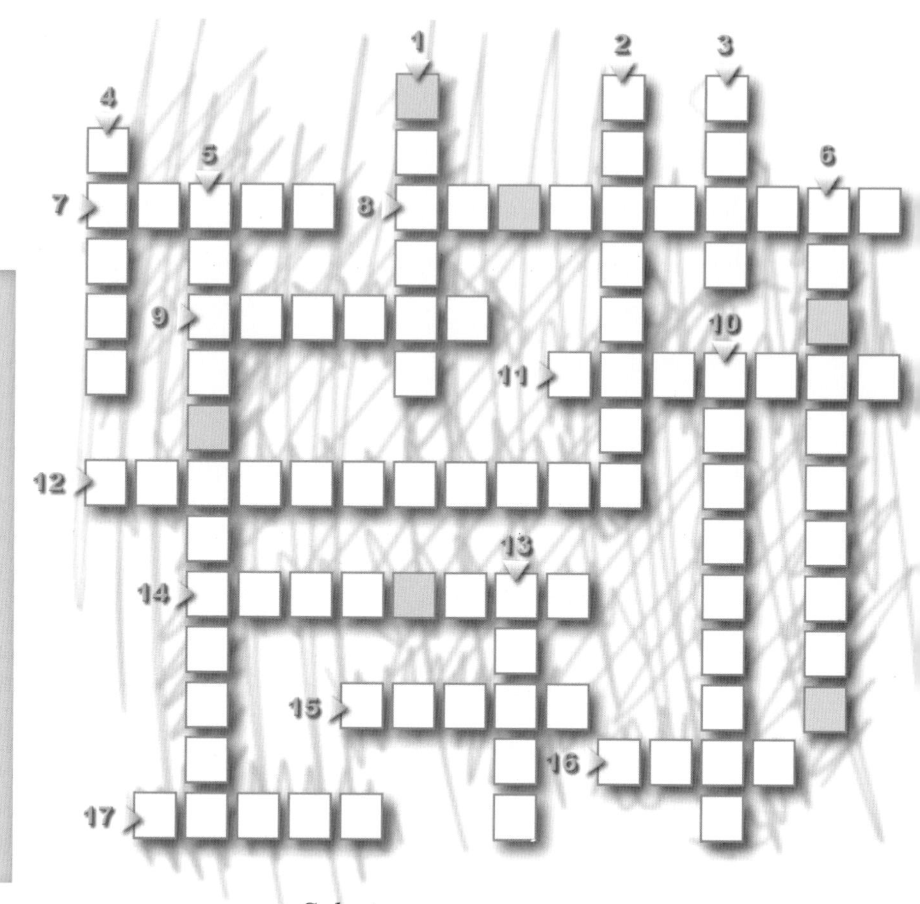

Soluzione: ....

2 **Renzo è in viaggio per Londra. In aereo molte cose gli passano per la testa. Formulate, in base agli elementi dati, i pensieri di Renzo usando il *futuro semplice*.**

Chissà come ....
dove ....
E chissà se ....
e fino a quando ....

essere ◆ l'ostello
dormire stanotte
conoscere ◆ gente simpatica
bastare ◆ soldi

3 **Scrivete il sostantivo dei seguenti verbi e aggettivi.**

1. baciarsi ....
2. appassionato ....
3. triste ....
4. arrivare ....
5. coraggioso ....
6. abbracciarsi ....
7. piacevole ....
8. interessante ....

4 **Completate i dialoghi con le espressioni date.**

ti faccio tanti auguri | andrà tutto bene | vedrà che | si faccia

1. ● È la prima volta che mio figlio non viene in vacanza con noi. Parte con gli amici. Sono un po' preoccupata ...
   ❍ Ma non si preoccupi. .... non succederà niente. Tornerà a casa contento e abbronzato!
2. ● Sai, finalmente mi sono decisa a prendere la patente. Mi sono già iscritta alla scuola guida. Ma ora ho quasi un po' di paura ...
   ❍ Ma no, fai bene! Non ti preoccupare, ...
3. ● Sai che ho un nuovo posto di lavoro? Da una parte sono contento, dall'altra mi dispiace perché con i colleghi mi trovavo bene ...
   ❍ Coraggio! Anche nella nuova ditta ci saranno persone simpatiche. Comunque ....
4. ● Ho una paura terribile di prendere l'aereo.
   ❍ Ma non c'è da aver paura. .... coraggio.

5 **Che cosa potete ancora dire per incoraggiare un amico o un'amica?**

.... *preoccupare!*

Su, coraggio!

Vedrai che ....
....

6 **Completate, come nell'esempio, con l'imperativo alla 2ª persona singolare e il pronome dato.**

1. chiedere - gli *chiedigli*
2. dare - mi ....
3. ascoltare - mi ....
4. dire - le ....
5. telefonare - gli ....
6. fare - lo ....
7. aspettare - ci ....
8. chiamare - mi ....

7 Completate con l'imperativo alla 2ª persona singolare e il pronome dato.

1. ● Maurizio, ... com'è andato l'esame?
   ○ Mah, non so proprio. Ero molto nervoso.
2. ● Più tardi devo passare in biblioteca.
   ○ Guarda, ... adesso, tra mezz'ora chiudono.
3. ● E queste foto a chi le devo dare?
   ○ .... a Luisa perché le voleva vedere anche lei.
4. ● Sai, Paolo ci ha invitato tutti alla sua festa.
   ○ Allora .... anche a tua sorella.

dire ◆ mi

andare ◆ ci

dare ◆ le

dire ◆ lo

8 Abbinate gli elementi delle due colonne.

1. Fatti	a) sapere!
2. Fammi	b) un po'...!
3. Stammi	c) vivo!
4. Fammi	d) pensare!
5. Stammi	e) a sentire!
6. Dimmi	f) bene!

9 Lino vorrebbe parlare al telefono con Federica. Completate il dialogo seguendo le indicazioni.

Lino saluta, si presenta e chiede se c'è Federica.

Lino risponde che voleva chiedere una cosa a Federica e chiede quando la può trovare.

Lino dice che va bene e che richiama Federica lunedì.

Lino risponde che lo sa, ringrazia e saluta.

● Pronto?
○ ....
....
● Ah ciao, Lino. No, non c'è. Perché? Avevi bisogno di qualcosa?
○ ....
....
● Eh, è andata al mare con un'amica. Ma torna domenica sera.
○ ....
....
● Va bene, ma chiamala il pomeriggio, perché lunedì ha il turno di mattina.
○ ....
....
● Ciao Lino, stammi bene.

10 **Completate il seguente oroscopo con il *futuro semplice* dei verbi dati.**

CANCRO ♡ *amore* ☆ *lavoro* ☼ *forma*

♡♡♡ Dedicate più tempo al partner e .... un periodo armonioso e felice. ☆☆☆ Riflettete sugli errori del passato e .... la possibilità di migliorare. ☼ Gli sportivi .... di dare il massimo. È importante però non esagerare.

vivere
avere
cercare

LEONE

♡ Chi desidera tutto e subito non .... mai ad averlo. ☆ Dopo un periodo di stress tutto .... più facile. ☼☼ .... più tempo per rilassarvi e ne .... presto gli effetti.

riuscire
essere ◆ *avere*
sentire

VERGINE

♡♡ Dopo un'esperienza infelice .... iniziare un nuovo rapporto. ☆☆ Intelligenza, pazienza e un po' di coraggio vi .... raggiungere nuovi traguardi nel lavoro. ☼☼☼ Qualche passeggiata nel verde vi .... a difendervi dallo stress.

potere
fare
aiutare

11 **Cosa sta per succedere? Osservate i disegni e scrivete una frase con *stare per*.**

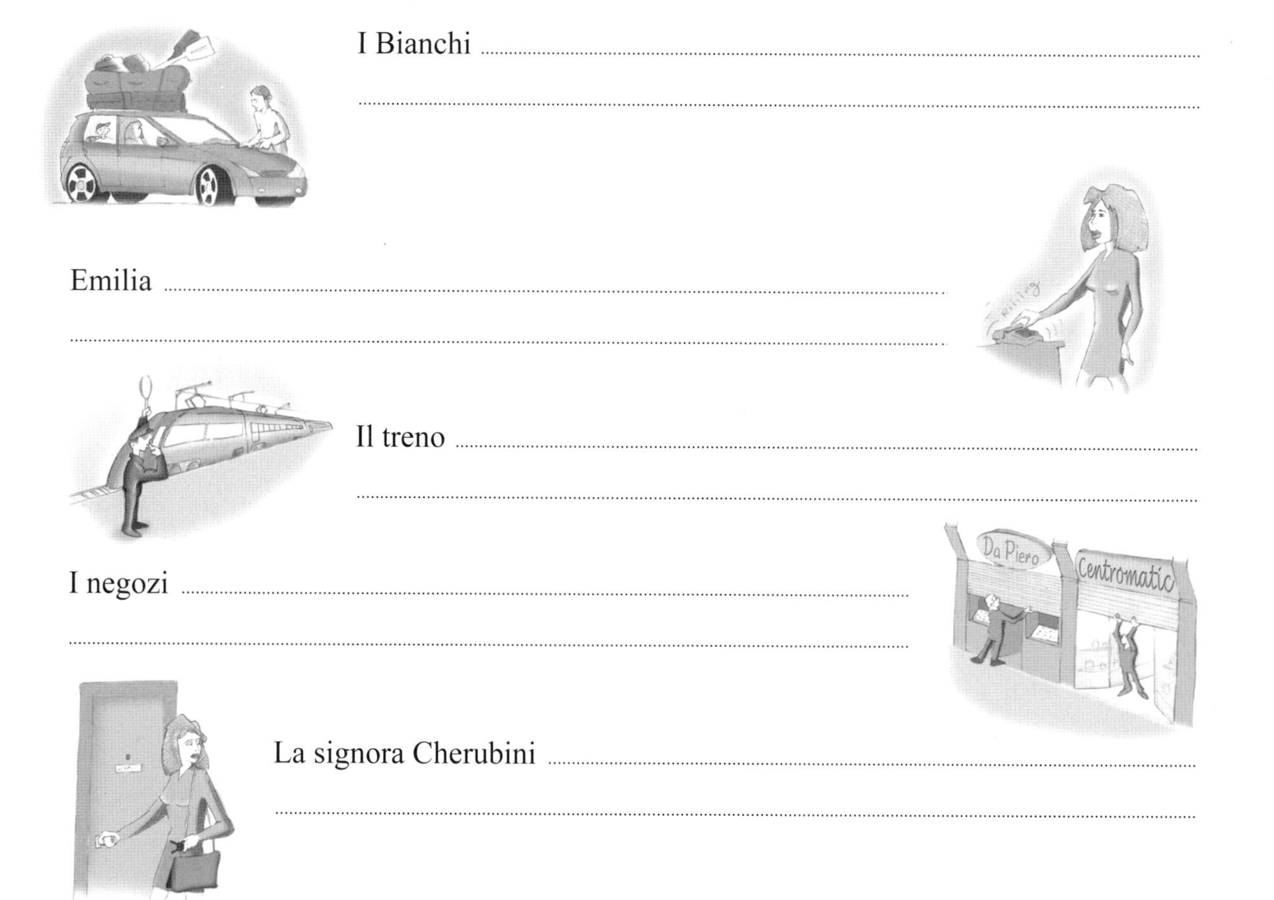

I Bianchi ....

....

Emilia ....

....

Il treno ....

....

I negozi ....

....

La signora Cherubini ....

....

12 *Buono* o *bene*? *Migliore* o *meglio*? Completate i dialoghi.

1. ● Ti è piaciuto il concerto di ieri sera?
   ❍ Sì, molto. Ma che brava questa cantante sarda. Ha cantato proprio ....
2. ● Ieri ho avuto una brutta discussione con Enzo. E mi dispiace tanto, è il mio .... amico.
   ❍ Allora sarà .... che lo chiami.
3. ● Hmm, che .... queste tagliatelle!
   ❍ Sì, in questo ristorante si mangia proprio ....
4. ● E allora, sei contenta della tua nuova macchina?
   ❍ Come no? Quella vecchia andava ancora abbastanza .... ma la nuova è decisamente ....
5. ● Senti, secondo te come mi sta questa gonna?
   ❍ Mmh, ..., però quella a righe ti sta ....

13 Completate il seguente dialogo in farmacia con le frasi date.

No, quelle no. Gli metto sempre il latte ad alta protezione. ◆ Ha sei anni. ◆ No, va bene così. La ringrazio. ◆ L'altra sera. Probabilmente perché ha giocato tutto il giorno in riva al mare sotto il sole. ◆ Buongiorno. Senta, mio figlio ha un po' di febbre. Mi potrebbe dare qualcosa per farla scendere?

● Buongiorno, signora. Mi dica.

❍ ....

● Certo, signora, quando gli è venuta la febbre?

❍ ....

....

● Eh, ma signora, con il sole dovrebbe fare più attenzione. Soprattutto con i bambini. Ha anche scottature?

❍ ....

● Va bene. Allora per la febbre Le posso dare qualcosa. Quanti anni ha suo figlio?

❍ ....

● Allora Le do queste gocce. Ne deve prendere 10 con un po' d'acqua, un'ora prima dei pasti. Le serve altro?

❍ ....

14 **Sostituite con il *ne*, come nell'esempio, le parole evidenziate.**

Come sono buoni questi gnocchi! Prendo ancora un po' di gnocchi.
Ne prendo ancora un po'.

1. A me il caffè piace. Però non bevo tanto caffè altrimenti la notte non dormo.
   ......
2. Com'è questo dolce? Vorrei assaggiare anch'io del dolce.
   ......
3. La verdura fa bene. Ma in genere mangio troppo poca verdura.
   ......
4. Ieri al mercato ho trovato delle fragole squisite. Oggi prendo ancora mezzo chilo di fragole.
   ......

15 **Indicate con una X la corretta persona del verbo all'imperativo.**

	tu	Lei	voi	noi
1. Quando vedi Rosaria dille che il regalo l'ho comprato io.	☐	☐	☐	☐
2. Al cinema andiamoci domani.	☐	☐	☐	☐
3. Il pane non prenderlo al supermercato!	☐	☐	☐	☐
4. Se andate al mercato comprate un melone. Anzi compratene due.	☐	☐	☐	☐
5. Mi dica a che ora devo chiamare il professore.	☐	☐	☐	☐
6. Ecco le compresse. Ne prenda una dopo i pasti.	☐	☐	☐	☐

16 **Sebastiano racconta un sogno che ha realizzato. Completate il suo racconto con le espressioni date.**

Adesso sto per ◆ Sognavo di ◆ guadagnavo bene ◆ un sogno nel cassetto ◆ un' esperienza indimenticabile ◆ ho realizzato il mio sogno

«Ho avuto ...... per tanti anni. ...... andare in Australia per un anno ma non avevo le idee molto chiare. Il problema era che quando studiavo mi mancavano i soldi e dopo mi mancava il tempo o forse solo il coraggio di abbandonare il posto di lavoro, perché .... Poi un giorno ho sentito della possibilità di fare un anno sabbatico e allora ho cominciato a rifletterci seriamente. Mi sono informato, ho cominciato a organizzarmi e dopo qualche anno .... È stata .... L'Australia per un europeo è tutto un altro mondo. ...... tornarci, ma questa volta solo tre settimane per rivedere gli amici.»

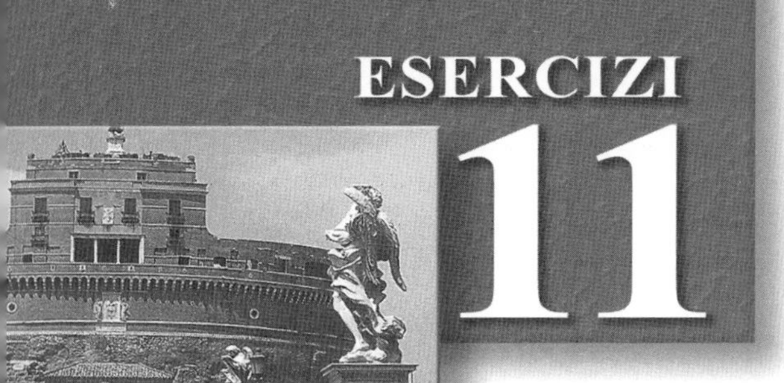

Quanto sei bella, Roma!

1 **Sottolineate quello che si trova a Roma.**

Cinecittà ◆ il Colosseo ◆ il Vaticano ◆ la Pinacoteca di Brera ◆ Piazza Navona ◆ la Scala ◆ il Palazzo Pubblico ◆ Ponte Vecchio ◆ la RAI ◆ il Castel Sant'Angelo ◆ la Mole Antonelliana ◆ Piazza San Marco ◆ Il Museo Egizio ◆ gli Uffizi

2 **Completate con le espressioni date l'e-mail che Marcella ha scritto a Rosalba.**

non ... niente | non ... più | non ... nessuno | non ... mai

Cara Rosalba,

scusa se non ti ho chiamato ma oggi è stata una giornata movimentata! Adesso è tardi e a quest'ora .... ti voglio .... disturbare, quindi ti scrivo due righe. Questa mattina sono andata a quel famoso appuntamento a Roma. Ci sono andata in macchina ma dopo questa esperienza ti assicuro che .... lo farò mai ....! Non ti puoi immaginare il caos sul raccordo anulare. Tra l'altro pioveva forte e .... si vedeva ....! Morale della favola: quando sono arrivata all'appuntamento .... c'era più .... ad aspettarmi! Allora sai cosa ho fatto? Sono andata a visitare i Musei Vaticani. .... c'ero .... stata prima e sono rimasta entusiasta! Ora però sono stanchissima. Ci sentiamo domani sera.

Marcella

3 **Osservate il disegno e completate il cruciverba.**

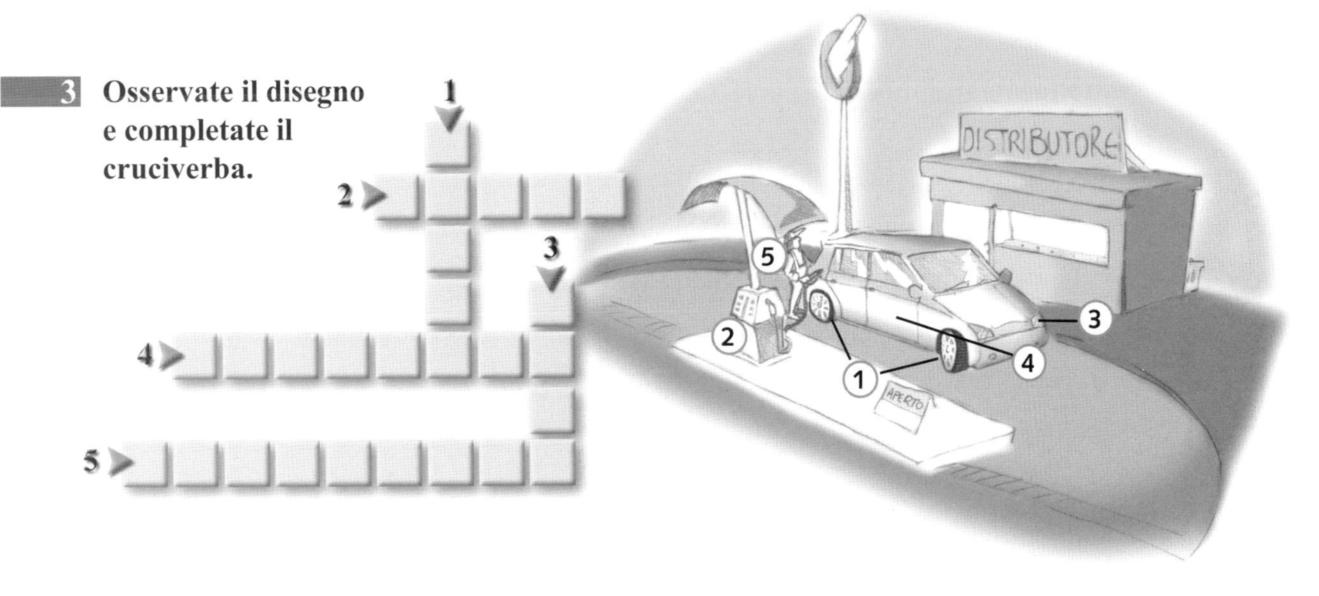

4 **Completate le frasi con un verbo al *futuro semplice*.**

1. ● Ma che ore sono adesso?
   ❍ Non ho l'orologio, ma .... più o meno le quattro.
2. ● Secondo te quanti anni ha Evelina?
   ❍ Mah, è ancora giovane. .... 30 anni, 35 al massimo.
3. ● Chissà quanto ci vuole ad attraversare il centro!
   ❍ Eh, con questo traffico .... almeno tre quarti d'ora.
4. ● Mario ha una faccia ... sembra quasi ammalato.
   ❍ Ma no, ... solo un po' stanco.
5. ● Li conosci quei signori che abbiamo incontrato per le scale?
   ❍ Sì, li ho visti spesso entrare dal signor Luccini. .... i suoi genitori.
6. ● Ma se domani c'è lo sciopero dei treni, come fa tua madre a venire alla festa?
   ❍ Bè, ... in macchina.
7. ● I ragazzi ormai non fanno più in tempo a venire a casa per pranzo.
   ❍ Non ti preoccupare, ... sicuramente un panino al bar.

5 **La madre di Maurizio parla al telefono con la nuora. Completate il testo con il *futuro semplice* dei verbi dati.**

● Come mai Maurizio non è ancora tornato?

❍ Mah, ... ancora da lavorare ... oppure .... al bar con qualche collega o magari .... molto traffico. Vedrai che tra poco .... per avvertire che .... più tardi.

6 **Sottolineate l'espressione corretta.**

1. Ieri ho lavorato tutto il giorno / tutti i giorni.
2. Abbiamo fatto una settimana di vacanza, ma ha piovuto tutto il tempo / tutti i tempi.
3. Mia madre mi telefona tutto il giorno / tutti i giorni.
4. Ho perso il portafoglio con tutto il documento / tutti i documenti dentro.
5. Il gelato piace a tutto il bambino / tutti i bambini.
6. Non ho visto tutto il film / tutti i film perché dopo un'ora mi sono addormentata.

7 **Completate l'intervista a Daniela sul tema "muoversi a Roma" con *ogni* o *tutto* + *l'articolo determinativo*.**

«Abito alla periferia nord di Roma e sono impiegata in una ditta che invece si trova alla periferia sud, così .... mattina e .... sera prendo l'autobus per attraversare .... città. Il traffico a Roma è molto intenso e chi va in macchina .... giorni rischia di restare bloccato per delle ore. Purtroppo anche se si viaggia con i mezzi pubblici la situazione non cambia molto. A .... ore della giornata gli autobus sono sempre affollati. La domenica mi piacerebbe andare con la famiglia ai Colli Albani ma in genere .... romano ha la stessa idea e così il traffico che blocca le strade cittadine durante i giorni feriali la domenica blocca regolarmente le strade intorno alla città.»

8 **Carla e suo fratello vogliono andare all'opera. Ma prima Carla deve sbrigare alcune cose. Completate le frasi con la costruzione *fare + infinito*.**

1. Vuole .... le foto dell'ultima festa di famiglia.

sviluppo e stampa foto in un'ora

2. Poi deve .... le sue scarpe.

riparazioni scarpe in un giorno

3. Per l'opera vuole .... il suo vestito da sera.

>>> lavaggio rapido <<<

4. E infine vorrebbe .... i capelli.

listino prezzi ❖ donna

taglio	*€ 15.–*
piega + shampoo	*€ 12.–*
colore	*€ 20.–*

9 **Abbinate le due colonne per formare noti proverbi italiani.**

1. L'abito
2. Le bugie
3. Tra il dire e il fare
4. Quando il gatto non c'è

a) i topi ballano
b) hanno le gambe corte
c) non fa il monaco
d) c'è di mezzo il mare

10 ***Andare* o *venire*? Completate le frasi.**

1. Il fine settimana prossimo .... a trovarmi degli amici francesi.
2. Quest'anno (noi) .... in vacanza in Sicilia. Valerio e Angela .... con noi.
3. Giulio, perché non .... a prendere Giovanni e poi .... con noi in pizzeria?
4. Carla, ... da me stasera, così facciamo due chiacchiere.
5. Purtroppo stasera non posso .... da voi perché devo finire un lavoro.
6. Domani è la festa di Grazia, ... anche tu?
7. Ieri sei poi .... al cinema o hai cambiato idea?
8. Ah, signora Guarnieri! Come mai non è .... ieri sera? È stata una serata così divertente.

11 **Completate i brevi dialoghi con il *passato prossimo* di *potere, dovere* o *volere*.**

1. ● Siete andati alla Festa del Tartufo ieri sera?
   ○ No, purtroppo .... rimanere a casa perché il bambino aveva un po' di febbre.
2. ● Ciao, Armando. Ieri ti ho visto con tua figlia a Porta Portese.
   ○ Sì, io ci vado tutti i sabati e ieri ci .... venire anche lei.
3. ● Siete stati in Puglia anche quest'anno?
   ○ No, quest'anno .... cambiare un po' e abbiamo fatto un viaggio all'estero.
4. ● Mamma, puoi scrivere alla maestra che non .... fare i compiti perché stavo male?
   ○ Sì, non ti preoccupare.
5. ● Ieri Laura non .... partire in macchina perché la batteria era scarica.
   ○ Poverina, allora .... prendere il treno all'ultimo momento!
6. ● Tua sorella è sempre la solita. .... comprare per forza un vestito anche se le stava un po' stretto. Però poi al matrimonio di Lea non l'.................... mettere.
   ○ Lo so, però per fortuna l'.................... cambiare.

12 **Completate le seguenti frasi con il *trapassato prossimo* dei verbi dati.**

1. Quest'anno la famiglia Rossi è andata in vacanza in Grecia.
   L'anno prima .... in Inghilterra. *(essere)*
2. Luca e Giulia si sono sposati l'anno scorso.
   .... tre anni prima all'isola d'Elba. *(conoscersi)*
3. Ieri Tommaso era proprio stanco.
   La sera precedente .... a una festa. *(essere)*
4. Una settimana fa Silvana ha venduto la sua macchina.
   Era quasi nuova, l' .... solo due anni prima. *(comprare)*

13 **Lucia credeva di aver perso il suo anello e lo racconta ad un'amica. Osservate i disegni e completate il racconto mettendo i verbi al *trapassato prossimo*.**

● Allora, venerdì mi sono accorta che mi mancava l'anello che mi aveva regalato mia madre. Che spavento! Allora ho cominciato a riflettere:

il giorno prima ....

mercoledì ....

....

e il fine settimana precedente..

....

ma gli altri giorni sono solo andata al lavoro senza fare niente di particolare.

○ Ma dove l'avevi perso?

● In casa, alla fine l'ho ritrovato nel bagno. Che sollievo!

14 **Completate le frasi con i verbi al passato.**

1. Dopo tanto tempo .... (io ◆ incontrare) per caso Anna, quella ragazza carina che .... (conoscere) a casa di Milena.
2. Due settimane fa il mio ragazzo ed io .... (ricominciare) a fare jogging. .... (smettere) da diverso tempo.
3. Gina .... (lasciare) il corso d'inglese che .... (frequentare) per diversi anni perché non ha più tempo.
4. Ultimamente .... (leggere) il nuovo libro di Andrea De Carlo. Non .... mai .... (leggere) un suo libro prima.
5. Sono proprio contenta. Aurelia .... (andare) nell'albergo che le .... (consigliare) io e si è trovata bene.

6. Che strano, i Frattini ieri sera non .... (esserci). Eppure .... (invitare) anche loro.
7. Ho sentito che Aisha .... (tornare) in Marocco. Ma quando .... (venire) a vivere in Italia?
8. I miei genitori .... (andare) una settimana a Roma. La prima volta .... (esserci) in viaggio di nozze.

15 **Completate le seguenti frasi con *molto*, *poco* o *tanto*.**

1. Carla è fortunata: ha .... soldi anche se lavora ....
2. Alcuni dicono che per dimagrire bisogna mangiare .... pasta, ... pane e .... insalata.
3. A me piace .... ballare, ma non ho .... occasioni per farlo.
4. Ieri sera siamo andati a letto .... tardi e abbiamo dormito .... ore.
5. A scuola con mio figlio ci sono .... bambini stranieri che parlano .... bene l'italiano.
6. Ho viaggiato .... e ho conosciuto .... gente di tutto il mondo.
7. In Svezia ci sono .... italiani, mentre in Germania ce ne sono ....

16 **Paula è stata per la prima volta a Roma. Completate il suo racconto.**

Pietro ◆ *Monti* ◆ *Verità* ◆ *Navona* ◆ *Piazza* ◆ *Foro* ◆ *Fontana*

Roma è davvero fantastica. Ho fatto proprio la turista. Sono andata in .... di Spagna e mi sono seduta sulla gradinata di Trinità dei ...., in mezzo alle azalee. Ho messo la mano nella Bocca della .... e per fortuna l'ho ritirata intatta. Ho girato tra gli scavi del .... Romano. Mi sono seduta sulle scalinate del Colosseo immaginando di vedere i gladiatori combattere contro i leoni. Ho fotografato le Guardie svizzere davanti a San .... Ho preso un caffè in via Veneto come gli attori negli anni '60. Ho fatto una foto davanti a tutte e tre le fontane di Piazza .... Ho mangiato in una trattoria del Testaccio. Alla fine prima di partire, ho gettato una monetina nella .... di Trevi, così sono sicura di tornarci!

Approfondimento grammaticale

Indice

L'aggettivo p. 153

L'aggettivo *bello*
Comparazione dell'aggettivo
Il superlativo assoluto

Il pronome p. 154

Elenco dei pronomi personali
I pronomi diretti e indiretti tonici
I pronomi diretti e indiretti atoni
La posizione dei pronomi diretti e indiretti atoni
Ci e *ne*
I pronomi relativi *che* e *cui*

I dimostrativi p. 156

Questo e *quello*

Gli indefiniti p. 157

Molto, tanto, troppo, poco
Qualche e *alcuni/alcune*
Tutto e *ogni*
Qualcuno, nessuno, qualcosa, niente

Il verbo p. 158

Verbi e costruzioni particolari
Il passato prossimo
L'imperfetto
Imperfetto e passato prossimo
Il trapassato prossimo
Il futuro semplice
Il condizionale presente
L'imperativo

Preposizioni p. 164

Indicatori di luogo
Indicatori di tempo

I numeri ordinali p. 165

Frase affermativa e interrogativa p. 165

Complemento oggetto diretto e indiretto p. 166

Enfasi p. 166

Appendice: Coniugazione dei verbi p. 167

Verbi regolari
Verbi regolari con particolarità
Verbi irregolari
Verbi con participio passato irregolare

L'aggettivo

1 L'aggettivo bello

Singolare	*Plurale*
un **bel** tappeto un **bell'**armadio un **bello** studio	dei **bei** mobili dei **begli** alberghi dei **begli** specchi
una **bella** cucina	delle **belle** tende

Davanti a un sostantivo maschile l'aggettivo ***bello*** si comporta come l'articolo determinativo (vedere anche *Allegro 1*, *Punto 5* a p. 155). Naturalmente, possiamo apostrofare l'aggettivo ***bello*** davanti a un sostantivo femminile che comincia per vocale: ***Una bella idea - Una bell'idea.***

2 Gradi di comparazione

L'aggettivo può avere più gradi di comparazione: il comparativo esprime il grado di una qualità (*più grande, una casa più grande*) e serve a fare un confronto (*più grande di*); il superlativo relativo esprime il grado più alto possibile (*la casa più grande*).

Ti piace il jogging? - No, preferisco il fitwalking. È **più semplice** e **meno faticoso**.	Con il comparativo il grado più alto viene espresso con ***più*** + aggettivo e il grado più basso con ***meno*** + aggettivo: ***più caro***, ***meno caro***.
Sono meno sportivo **di** mio padre. Lo sci è più costoso **del** nuoto.	Per il confronto bisogna usare anche la preposizione ***di***.
Il Monte Solaro è **il** punto **più alto** di Capri.	Il superlativo relativo si forma con gli avverbi ***più*** o ***meno*** e l'articolo determinativo.

Fate attenzione:

- L'aggettivo ***buono***, oltre alle forme regolari di comparazione e di superlativo, presenta una forma particolare di comparativo di maggioranza e di superlativo:
  migliore**, **il/la migliore
  Vorrei trovare un lavoro **migliore**.
  Il Danieli è **l'*albergo*** **migliore** ***di Venezia***.
  Le forme regolari di comparazione ***più buono*** e ***il più buono*** si usano, di solito, soltanto per caratterizzare persone e cibi:
  Un amico **più buono** ***di un altro***.
  La *pizza* piú buona.
- Anche di alcuni avverbi, soprattutto quelli di tempo e di luogo, si ha il comparativo: ***Vengo*** **più tardi**.
  Il comparativo di ***bene*** presenta una forma particolare: ***Oggi sto*** **meglio**.

3 Il superlativo assoluto

Il superlativo assoluto indica una qualità al massimo grado, senza stabilire confronti con altri termini di riferimento.

Sondrio è una città **sicurissima**. In Calabria ci sono delle spiagge **bellissime**.	Per formare il superlativo assoluto togliamo la vocale finale dell'aggettivo e aggiungiamo il suffisso **-issimo/-a/-i/-e**.

- Agli aggettivi che terminano in **-co/-go** mettiamo prima del suffisso **-issimo/-a/-i/-e** una **-h-**: ***ricco ⇒ ricchissimo**, **lungo ⇒ lunghissimo.***
- Il superlativo assoluto può anche essere formato da **molto + aggettivo**: ***molto importante***.

Il pronome

I pronomi personali

All'interno di una frase, i pronomi personali sostituiscono un soggetto, come per esempio *io, tu, lui,* ... (pronomi personali soggetto), o un oggetto, come per esempio *me, te, lui,* ... (pronomi personali complemento oggetto - pronomi diretti) oppure *a me, a te, a lui,* ... (pronomi personali complemento oggetto - pronomi indiretti).
In italiano i pronomi personali complemento oggetto possono essere: tonici o atoni.
I pronomi personali soggetto, invece, sono sempre tonici.

Forme toniche			***Forme atone***	
Soggetto	*Pronome diretto*	*Pronome indiretto*	*Pronome diretto*	*Pronome indiretto*
io	me	a me	mi	mi
tu	te	a te	ti	ti
lui	lui	a lui	lo	gli
lei	lei	a lei	la	le
Lei	Lei	a Lei	La	Le
noi	noi	a noi	ci	ci
voi	voi	a voi	vi	vi
loro	loro	a loro	li le	gli

- Tra le forme toniche solo ***me*** e ***te*** sono diverse dai rispettivi pronomi personali soggetto ***io*** e ***tu***. Tutte le altre forme sono uguali. Le forme toniche dei pronomi diretti e dei pronomi indiretti si distinguono soltanto per la preposizione ***a***.
- La forma di cortesia ***Lei*** si può scrivere anche con la minuscola: ***È lei il signor Bianchi?***
- Le forme atone dei pronomi diretti e dei pronomi indiretti differiscono soltanto alla 3ª persona singolare e alla 3ª persona plurale.

→ 4 I pronomi diretti e indiretti tonici

Perché non vieni con **noi**? Questo è un regalo per **loro**. Mario è venuto dopo di **te**. Cammina davanti a **me**.	Usiamo la forma tonica dei pronomi complemento oggetto: ■ Dopo una preposizione semplice, per esempio ***con me, per te.*** Dopo ***senza di, prima di, dopo di, su di***: ***senza di me, prima di voi.*** Dopo ***accanto a, attorno a, intorno a, davanti a, oltre a***: ***attorno a noi, oltre a lei.***
Hai visto Paolo? - No, non ho visto **lui**, ma suo fratello.	■ Per dare enfasi alla persona; in questo caso il pronome lo mettiamo dopo il verbo.
Carla ha chiamato anche **te**? Non mi ha scritto. - Neanche **a me**.	■ Dopo ***anche*** e ***neanche.***
Mi piace la pizza. - **A me** no.	■ In frasi senza verbo.

Per l'uso dei pronomi personali soggetto vedere *Allegro 1, Punto 15* a p. 159.

→ 5 I pronomi diretti e indiretti atoni

I pronomi diretti e indiretti atoni si usano insieme a un verbo. Di solito il pronome è messo davanti al verbo coniugato (ma vedi anche il *Punto 6*).

Prendi tu i biglietti? - Sì, **li** prendo io. Chi accompagna Ornella? - Non **la** accompagni tu?	I pronomi diretti sostituiscono un oggetto che risponde alla domanda: *Chi? / Che cosa?*
Hai scritto a Mario? - No, non **gli** ho scritto. Hai telefonato a Pia? - Sì, **le** ho telefonato.	Pronomi indiretti sostituiscono un oggetto che risponde alla domanda: *A chi?*

- ***Lo*** e ***la*** prendono l'apostrofo davanti a una vocale, ***li*** e ***le*** invece no:
  L'*accompagno*.
  Li/Le *accompagno*.
- Il participio passato, di un passato prossimo con ausiliare ***avere***, concorda in genere e numero con il pronome diretto. ***Lo*** e ***la*** davanti alle forme di ***avere*** prendono l'apostrofo:
  Dove avete incontrato Luigi? - L'abbiamo incontrato a Pisa.
  Quando hai visto Sara? - L'ho vista due giorni fa.
  Avete preso i biglietti? - Sì,* li *abbiamo presi ieri.
  Hai comprato le tende? - Sì,* le *ho comprate ieri.
- Nella lingua parlata, l'oggetto diretto lo troviamo spesso all'inizio della frase; in questo caso ci deve essere anche il pronome diretto corrispondente (vedere anche il *Punto 32* a p. 166):
  ***Le tende* le *ho comprate ieri*.**

→ 6 La posizione dei pronomi diretti e indiretti atoni

Per quanto riguarda la posizione nella frase dei pronomi diretti e indiretti atoni, dei pronomi riflessivi, come anche di ***ci*** e ***ne*** (vedere il *Punto 7*) valgono le seguenti regole:

Ti piacciono gli gnocchi? Non **ci** siamo divertiti.	**Prima** ■ con un verbo (tranne l'infinito, il participio e il gerundio).
Mi piacerebbe conoscer**lo**. Scrivi**ci** presto! Da**mmi** il libro! Di**llo** subito. Di**gli** che arriviamo domani. *Ma:* **Gli** dica che arriviamo domani. L'indirizzo di Sara? - Ecco**lo**. Ecco**ti**!	**Dopo** ■ con un infinito, che perde la **-e** finale; ■ con un imperativo; *Attenzione*: Con le forme ***da'***, ***di'***, ***fa'***, ***sta'*** e ***va'*** raddoppia la consonante iniziale del pronome, tranne con ***gli*** (vedere anche il *Punto 28* a p. 164). Con l'imperativo alla 3ª persona singolare e plurale il pronome va davanti al verbo. ■ con ***ecco***; questo vale soltanto per i pronomi diretti (***mi***, ***ti***, ***lo***, ***la*** ecc.).
Potresti aiutar**ci**? / **Ci** potresti aiutare? Non chiamar**mi** prima delle nove! / Non **mi** chiamare prima delle nove!	**Prima o dopo** Tutte e due le costruzioni sono possibili quando abbiamo: ■ un verbo modale (***dovere***, ***potere***, ***volere***); ■ la forma negativa dell'imperativo alla seconda persona singolare (*tu*).

→ 7 *Ci* e *ne*

Abiti ancora **in centro**? - No, non **ci** abito più. Vai spesso **a Roma/sul lago di Garda**? - Sì, **ci** vado due, tre volte alla settimana. **Al cinema ci** vado spesso.	***Ci*** sostituisce la preposizione ***a***, ***in*** o ***su*** + un luogo. Se l'indicazione di luogo si trova all'inizio della frase, spesso troviamo ***ci*** come rafforzamento (vedere anche il *Punto 33* a p.166).

Le posso dare queste **pastiglie**. **Ne** prenda due. Che buono questo **dolce**. **Ne** prendo ancora.	***Ne*** si riferisce a un sostantivo del quale si è parlato prima e indica una quantità parziale.

Per ***ci*** e ***ne*** valgono le stesse regole dei pronomi diretti e indiretti atoni riguardo la posizione nella frase (vedere il *Punto 6* a p. 155):
Non ci vado mai.
Prendine due!

→ 8 I pronomi relativi *che* e *cui*

I pronomi relativi ***che*** e ***cui*** sono invariabili e possono riferirsi a persone, animali, cose al singolare o al plurale.

La ragazza **che** abita qui si chiama Rosa. Il ragazzo **che** abita qui si chiama Aldo. Il film **che** ho visto ieri è interessante. Ecco i libri **che** mi hai prestato.	***Che*** può essere soggetto o complemento oggetto diretto.
La casa **in cui** abito è molto vecchia. Il film **di cui** mi hai parlato è proprio bello. Le ragazze **con cui** esce sono di Roma.	***Cui*** si usa dopo una preposizione.

- Possiamo anche non mettere la preposizione ***a*** davanti a ***cui***: ***Chi è la ragazza* cui *stai scrivendo?***

→ 9 I dimostrativi

I dimostrativi ***questo*** e ***quello*** concordano in genere e numero con il nome che accompagnano o che sostituiscono nella frase.
Questo si riferisce a persone, animali o cose che sono vicini.
Quello si riferisce a persone, animali o cose che sono lontani.
Questo e ***quello*** possono essere sia pronomi che aggettivi:

quest**o**	quest**i**	quell**o**	quell**i**
quest**a**	quest**e**	quell**a**	quell**e**

Come pronomi dimostrativi sostituiscono un sostantivo:
***Qual è la tua bici?* Questa*? - No, è* quella *(lì)*.**

Come aggettivi dimostrativi sono sempre prima del sostantivo che accompagnano e senza articolo.
In questo caso l'aggettivo ***quello*** segue le stesse forme dell'articolo determinativo (vedere *Allegro 1, Punto 5* a p. 155): ***Mi piace* questa *bici* / quel *motorino*.**

Singolare		*Plurale*		*Singolare*		*Plurale*	
quest**o**	vestito	quest**i**	vestiti	que**l**	vestito	que**i**	vestiti
quest**o**	zaino	quest**i**	zaini	quel**lo**	zaino	que**gli**	zaini
quest'	orologio	quest**i**	orologi	quell'	orologio	que**gli**	orologi
quest**a**	sciarpa	quest**e**	sciarpe	quel**la**	sciarpa	quel**le**	sciarpe
quest'	agenzia	quest**e**	agenzie	quell'	agenzia	quel**le**	agenzie

- Quando confrontiamo due cose usiamo prima ***questo*** e poi ***quello***:
***Quale sciarpa ti piace? - Mi piace* questa *qui, ma anche* quella *rossa è carina*.**

Gli indefiniti

Gli **indefiniti** comprendono pronomi indefiniti (per esempio: *nessuno, qualcosa*), aggettivi indefiniti (per esempio: *alcuni* amici) e avverbi indefiniti (per esempio: mangiare *molto*/*poco*).

→10 Poco, molto, tanto, troppo

Poco, ***molto***, ***tanto*** e ***troppo*** possono essere aggettivi, pronomi e avverbi:

Aggettivo	*Pronome*	*Avverbio*
Ho **poco** tempo. Hanno **molti** problemi. Mangio **tanta** frutta. Ho **troppe** cose da fare.	C'è ancora del pane? - Sì, ma **poco**. Quanti amici hai? - **Molti**. Quanta frutta hai mangiato? - **Tanta**. Quante persone ci sono? - **Troppe**!	Ho dormito **poco**. Luigi viaggia **molto**. Si amano **tanto**. Ho mangiato **troppo**.

- Come aggettivi e pronomi ***poco***, ***molto***, ***tanto*** e ***troppo*** concordano in genere e numero con la parola a cui si riferiscono: ***poco tempo***, ***poca gente*** ecc.
- Come avverbi sono invariabili e terminano sempre in ***-o***.

→11 Qualche e alcuni/alcune

Gli aggettivi indefiniti ***qualche*** e ***alcuni/-e*** hanno lo stesso significato.

Compro **qualche** libro. **qualche** cartolina.	***Qualche*** è usato più spesso, è invariabile e accompagna sempre un sostantivo al singolare.
Compro **alcuni** libri. **alcune** cartoline.	***Alcuni/-e***, invece, accompagna sempre un sostantivo al plurale con cui concorda.

Espressioni più frequenti con ***qualche*** sono: ***da qualche parte***, ***qualche volta***.

- ***Alcuni/-e*** può essere anche usato come pronome: ***Ho molti amici*. Alcuni *vivono a Roma***.

→12 Tutto e ogni

Lavoro **tutto il** giorno. **tutta la** notte. **tutti i** giorni. **tutte le** notti.	***Tutto/-a***, come aggettivo, precede non solo il sostantivo, con cui concorda in genere e numero, ma anche l'articolo. Al singolare ***tutto/-a***, usato come aggettivo, indica *la totalità intera*; al plurale ***tutti/-e*** significa *ogni*.
ogni giorno. **ogni** notte.	***Ogni*** è un aggettivo, è invariabile e lo mettiamo sempre prima di un sostantivo al singolare.

- ***Tutto*** può essere anche un pronome:
  Ho fatto tutto.
  Sono venuti tutti.

→13 Qualcuno, nessuno, qualcosa, niente

Hai visto **qualcuno**?
No, **nessuno**. / No, non ho visto **nessuno**.

Posso fare **qualcosa** per te?
No, **niente**. / No, non puoi fare **niente**.

- I pronomi indefiniti ***qualcuno***, ***nessuno***, ***qualcosa*** e ***niente*** sono invariabili.
- Con la doppia negazione (vedere *Allegro 1*, *Punto 26* a p. 164) mettiamo ***non*** davanti al verbo coniugato e ***nessuno/niente*** sempre dopo il verbo: ***Qui* non *c'è* nessuno**.
  Non usiamo il ***non*** quando ***nessuno/niente*** sono da soli o all'inizio di una frase:
  Nessuno ***è perfetto***.
- Usiamo la preposizione ***di*** quando dopo ***qualcosa*** o ***niente*** segue un aggettivo; usiamo la preposizione ***da*** quando segue un verbo:
  Hai visto qualcosa* di *interessante?
  Non ho niente* da *fare.

Il verbo

Verbi e costruzioni particolari

→14 Stare + gerundio

Che cosa **stai facendo**?
Sto mangiando.

Stare + gerundio indica un'azione in svolgimento.

Il *gerundio* è una forma verbale invariabile che deriva dall'infinito:

Infinito:	cant**are**	legg**ere**	part**ire**
Gerundio:	cant**ando**	legg**endo**	part**endo**

I verbi in ***-are***, al gerundio finiscono in ***-ando***, i verbi in ***-ere*** e ***-ire*** in ***-endo***.

Soltanto pochi verbi hanno forme particolari, per esempio: *bere* → ***bevendo***, *dire* → ***dicendo***, *fare* → ***facendo*** (vedere anche p. 170).

→15 Stare per + infinito

Sta per piovere.
Stiamo per andare a letto.

Stare per + infinito indica un'azione che comincerà nell'immediato futuro.

→16 *Si*

Che cosa **si mangia** a Pasqua?
Si mangia l'agnello.
Si mangiano molti dolci.

Si + 3ª persona singolare del verbo.

Si + 3ª persona plurale del verbo.

Il verbo è al plurale quando la parola a cui si riferisce è al plurale.
Per costruire la forma negativa, mettiamo ***non*** sempre prima del ***si***: ***Qui non si fuma***.

→17 Aver bisogno di

Aver bisogno di può essere espresso in vari modi:

Ho bisogno di un'informazione. **Hai bisogno della** macchina?	***Avere bisogno di*** è seguito da un sostantivo al singolare o al plurale. Quando segue un sostantivo con l'articolo determinativo, la preposizione ***di*** e l'articolo formano un'unica parola.
Per fare la pizza **ci vuole** la mozzarella. **Ci vogliono** anche i pomodori.	***Ci vuole / ci vogliono*** significa: *si ha bisogno di*. Se il sostantivo che segue è al singolare usiamo ***ci vuole***, se è al plurale usiamo ***ci vogliono***.
Ti **serve** una mano? Mi **servono** gli orari dei treni.	***Serve / servono*** sono accompagnati sempre da un pronome indiretto (***mi***, ***ti***, ***gli***; ***a Gigi***). L'uso del singolare o del plurale dipende dalla parola a cui il verbo si riferisce.
Il treno **ci mette** un'ora. In macchina **ci metto** mezz'ora.	Usiamo il verbo ***metterci*** per indicare quanto tempo impiega un mezzo pubblico oppure una persona.

→18 Basta e bisogna

Basta così? **Basta** studiare per superare il test. **Bastano** pochi minuti.	***Basta / bastano*** significa: *è sufficiente / sono sufficienti*. Usiamo ***basta*** quando segue un infinito o un sostantivo al singolare. Usiamo ***bastano*** quando segue un sostantivo al plurale.
Bisogna risparmiare.	Dopo ***bisogna*** segue sempre un verbo all'infinito.

→19 Fare + infinito

Quando **fai riparare** la macchina?	Per esprimere che qualcuno fa qualcosa per noi si usa ***fare*** + infinito.
Devo **far controllare** i freni.	Quando ***fare*** è all'infinito togliamo la vocale finale ***-e***.
Mi **fai vedere** le foto del matrimonio?	Espressioni più frequenti con ***fare*** + infinito sono, per esempio, ***far vedere***, ***far conoscere***, ***far sapere***.

Il passato prossimo

→20 Il *passato prossimo* di *piacere*

Questo film mi **è** proprio **piaciuto**. La storia ti **è piaciuta**? Alcuni attori non mi **sono piaciuti**. Le canzoni ci **sono piaciute** tanto.	Al *passato prossimo* l'ausiliare del verbo ***piacere*** è sempre ***essere***. Il participio passato concorda in genere e numero con il soggetto a cui si riferisce.

→21 Il *passato prossimo* dei verbi riflessivi

	innamorarsi	
io tu lui, lei, Lei	mi sono ti sei si è	innamorato innamorata
noi voi loro	ci siamo vi siete si sono	innamorati innamorate

Al *passato prossimo*, i verbi riflessivi prendono sempre l'ausiliare ***essere***.
Il pronome riflessivo precede sempre l'ausiliare.
Il participio passato concorda in genere e numero con il soggetto: ***Chiara si è innamorata***.
Per costruire la forma negativa mettiamo ***non*** prima del pronome riflessivo: ***Non mi sono divertito***.

→22 Il *passato prossimo* dei verbi modali

Anna **ha dovuto** lavorare. (ha lavorato)

Anna **è voluta** partire. (è partita)

Per formare il *passato prossimo* con i verbi modali ***dovere***, ***potere*** e ***volere*** usiamo il verbo ausiliare:

- ***avere***, se il verbo che accompagnano richiede ***avere***;
- ***essere***, se il verbo che accompagnano richiede ***essere***.

In quest'ultimo caso il participio passato concorda in genere e numero con il soggetto.

→23 L'imperfetto

Al passato, oltre al *passato prossimo* abbiamo anche altri tempi, fra questi ricordiamo l'*imperfetto*.

Formazione

	-are lavorare	-ere avere	-ire partire	*Caso particolare:* essere
io	lavor**avo**	av**evo**	part**ivo**	ero
tu	lavor**avi**	av**evi**	part**ivi**	eri
lui, lei, Lei	lavor**ava**	av**eva**	part**iva**	era
noi	lavor**avamo**	av**evamo**	part**ivamo**	eravamo
voi	lavor**avate**	av**evate**	part**ivate**	eravate
loro	lavor**avano**	av**evano**	part**ivano**	erano

La maggior parte dei verbi all'*imperfetto* sono regolari. Soltanto alcuni hanno forme particolari, per esempio: bere → ***bevevo***; fare → ***facevo***; dire → ***dicevo*** (vedere anche il *Punto 33* a p. 168).

Uso

L'*imperfetto* è un tempo del passato con cui possiamo esprimere azioni, avvenimenti o stati d'animo non conclusi.

Usiamo l'*imperfetto*:

Esempi	Usi
Ieri **faceva** freddo e **pioveva**. Mio nonno **era** magro e alto.	per descrivere situazioni, stati d'animo, persone o oggetti nel passato;
Da bambino mi **piaceva** giocare a carte. La domenica **andavamo** sempre al mare.	per esprimere azioni ripetute e abitudini nel passato;
Mentre **preparavo** la cena **ascoltavo** la radio.	per indicare due o più azioni contemporanee nel passato.

Fate attenzione:

- La congiunzione ***mentre*** introduce una proposizione secondaria.
- Usiamo l'*imperfetto* quando le due azioni sono contemporanee: ***Mentre* preparavo *la cena* ascoltavo *la radio*.**
  Usiamo il *passato prossimo* per un'azione che interrompe un'altra: ***Mentre* preparavo *la cena* ha telefonato *Luisa*.**

→24 Imperfetto e passato prossimo

Usiamo sia l'*imperfetto* che il *passato prossimo* per raccontare avvenimenti passati. L'uso delle due forme passate è ben distinto:

Ieri **faceva** bel tempo e **volevo** passeggiare un po' nel parco.	Usiamo l'*imperfetto* per abitudini, stati o qualità di persone e oggetti (Che cosa era? Come era?).
Ma poi **ho incontrato** Paolo. **Siamo andati** al bar e **abbiamo preso** un caffè.	Usiamo il *passato prossimo* per azioni concluse e successive (Che cosa è successo?).

→25 Il trapassato prossimo

Formazione

Il *trapassato prossimo* è formato dall'imperfetto dell'ausiliare ***avere*** o ***essere*** + il participio passato del verbo.

	Imperfetto di avere + *participio passato*		*Imperfetto di* essere + *participio passato*	
io	avevo	lavorat**o**	ero	andat**o** / andat**a**
tu	avevi		eri	
lui, lei, Lei	aveva		era	
noi	avevamo		eravamo	andat**i** / andat**e**
voi	avevate		eravate	
loro	avevano		erano	

Per la scelta del verbo ausiliare e l'accordo del participio passato valgono le stesse regole del *passato prossimo* (vedere *Allegro 1*, *Punto 24* a p. 163).

Uso

Ieri ho incontrato dei ragazzi che **avevo conosciuto** a Napoli. Domenica sono andata a letto prestissimo perché la mattina **mi ero alzata** alle cinque.	Il *trapassato prossimo* esprime un'azione che ha avuto luogo nel passato prima ancora di un'altra azione passata (con il verbo al *passato prossimo* o all'*imperfetto*).

→26 Il futuro semplice

Formazione

	-are lavorare	-ere scrivere	-ire partire	*Caso particolare*: essere
io	lavor**erò**	scriv**erò**	part**irò**	sarò
tu	lavor**erai**	scriv**erai**	part**irai**	sarai
lui, lei, Lei	lavor**erà**	scriv**erà**	part**irà**	sarà
noi	lavor**eremo**	scriv**eremo**	part**iremo**	saremo
voi	lavor**erete**	scriv**erete**	part**irete**	sarete
loro	lavor**eranno**	scriv**eranno**	part**iranno**	saranno

- Con i verbi in **-care** e **-gare** inseriamo una **h** dopo la radice del verbo: *cercare* → ***cercherò***, *spiegare* → ***spiegherò***.
- I verbi in **-iare** perdono la **i**: *cominciare* → ***comincerò***, *mangiare* → ***mangerò***.

Verbi con forme particolari

I verbi che al *futuro semplice* hanno delle forme particolari si suddividono in tre gruppi:

- I verbi che perdono la **a** o la **e** dell'infinito: *andare* → ***andrò***, *avere* → ***avrò***, *dovere* → ***dovrò***, *potere* → ***potrò***, *sapere* → ***saprò***, *vedere* → ***vedrò***, *vivere* → ***vivrò***.
- Verbi con doppia **r**: *bere* → ***berrò***, *rimanere* → ***rimarrò***, *tenere* → ***terrò***, *venire* → ***verrò***, *volere* → ***vorrò***.
- I verbi che mantengono la **a** dell'infinito: ***dare*** → ***darò***, *fare* → ***farò***, *stare* → ***starò***.

Uso

Esempi	Uso
Dopo le vacanze **cercherò** un lavoro. Ci **incontreremo** in marzo?	Usiamo il *futuro semplice* per avvenimenti futuri.
Che ore sono? - **Saranno** le 8. Sergio non c'è ancora. - Forse **arriverà** con l'ultimo treno.	Il *futuro semplice* può sostituire il presente indicativo per esprimere un dubbio, un'incertezza o un'ipotesi nel futuro.

Spesso, soprattutto se ci sono indicatori di tempo, usiamo il presente al posto del futuro: ***Domani non lavoro***.

→27 Il condizionale presente

Formazione

	-are lavorare	-ere scrivere	-ire partire	*Caso paricolare*: essere
io	lavor**erei**	scriv**erei**	part**irei**	sarei
tu	lavor**eresti**	scriv**eresti**	part**iresti**	saresti
lui, lei, Lei	lavor**erebbe**	scriv**erebbe**	part**irebbe**	sarebbe
noi	lavor**eremmo**	scriv**eremmo**	part**iremmo**	saremmo
voi	lavor**ereste**	scriv**ereste**	part**ireste**	sareste
loro	lavor**erebbero**	scriv**erebbero**	part**irebbero**	sarebbero

Il ***condizionale presente*** è molto simile al ***futuro semplice***:

- Con i verbi in **-care** e **-gare** inseriamo una **h** dopo la radice del verbo: *cercare* → ***cercherei***, *spiegare* → ***spiegherei***.
- I verbi in **-iare** perdono la **i**: *cominciare* → ***comincerei***, *mangiare* → ***mangerei***.

Verbi con forme particolari

I verbi che al *condizionale* hanno delle forme particolari si suddividono in tre gruppi:

- I verbi che perdono la **a** o la **e** dell'infinito: *andare* → ***andrei***, *avere* → ***avrei***, *dovere* → ***dovrei***, *potere* → ***potrei***, *sapere* → ***saprei***, *vedere* → ***vedrei***, *vivere* → ***vivrei***.
- Verbi con doppia **r**: *bere* → ***berrei***, *rimanere* → ***rimarrei***, *tenere* → ***terrei***, *venire* → ***verrei***, *volere* → ***vorrei***.
- I verbi che mantengono la **a** dell'infinito: *dare* → ***darei***, *fare* → ***farei***, *stare* → ***starei***.

Uso

Mi **piacerebbe** abitare in campagna.
Ti **compreresti** una Ferrari?

- Usiamo il *condizionale presente* per esprimere che cosa può o non può succedere.

Potreste aiutarmi?
Vorremmo rimanere ancora un po'.
Secondo me **sarebbe** meglio partire subito.
In base alle previsioni del tempo il mare **dovrebbe** essere mosso.

- Il *condizionale presente* si usa inoltre per formulare domande, proposte, desideri e opinioni in modo più cortese o per riportare avvenimenti, opinioni ecc. di cui non si è sicuri: **Potresti *venire?*** invece di ***Puoi venire?***

→28 L'imperativo

Formazione

Verbi regolari

	-are guardare	-ere scrivere	-ire sentire	 finire
(tu)	guard**a**!	scriv**i**!	sent**i**!	fin**isci**!
(Lei)	guard**i**!	scriv**a**!	sent**a**!	fin**isca**!
(noi)	guard**iamo**!	scriv**iamo**!	sent**iamo**!	fin**iamo**!
(voi)	guard**ate**!	scriv**ete**!	sent**ite**!	fin**ite**!

- La forma negativa dell'imperativo alla 2ª persona singolare (*tu*) si forma con l'avverbio ***non*** + infinito:
  Non lavorare troppo!
  Ma: ***Non lavori troppo!***
  Non partite!
- Pronomi diretti e indiretti atoni, pronomi riflessivi, ***ci*** e ***ne*** seguono l'imperativo (vedere anche il *Punto 6* a p. 155): ***Ascoltami!, Riposatevi! Andiamoci!***
  Questa regola comunque non vale per la forma di cortesia al singolare: ***Mi ascolti!***

Verbi irregolari

	andare	dare	fare	stare	dire	avere	essere
(tu)	va'/vai	da'/dai	fa'/fai	sta'/stai	di'	abbi	sii
(Lei)	vada	dia	faccia	stia	dica	abbia	sia
(noi)	andiamo	diamo	facciamo	stiamo	diciamo	abbiamo	siamo
(voi)	andate	date	fate	state	dite	abbiate	siate

- Quando i pronomi diretti e indiretti atoni oppure ***ci/ne*** seguono le forme dell'imperativo ***va', da', fa', sta'*** o ***di'*** la consonante iniziale del pronome raddoppia (tranne con ***gli***):
  Vacci! Dammi del pane! Facci vedere le foto! Stammi a sentire! Dillo a tuo padre!
  Ma: ***Digli la verità!***

Altri verbi irregolari, vedere il *Punto 34* alle pp. 168, 169, 170.

Uso

Usiamo l'imperativo per esprimere una richiesta, un ordine, un comando, una preghiera, un consiglio.

→29 Preposizioni

Indicatori di luogo

dietro	**dietro** la tenda bianca
in mezzo a	**in mezzo al** mare
lungo	**lungo** la strada
sopra	**sopra** il tavolo
su	**sul** tappeto
tra	**tra** i libri

Come indicatori di luogo possiamo usare anche gli avverbi e le espressioni avverbiali seguenti:
al centro, a destra, a sinistra, accanto, fuori, laggiù, lassù, lì, sopra, sotto, qui.

Indicatori di tempo

tra	**tra** due anni
a partire da	**a partire dal** 2004
durante	**durante** il viaggio

→30 I numeri ordinali

1º	primo	**8º**	ottavo	**20º**	ventesimo	**27º**	ventisettesimo
2º	secondo	**9º**	nono	**21º**	ventunesimo	**28º**	ventottesimo
3º	terzo	**10º**	decimo	**22º**	ventiduesimo	**29º**	ventinovesimo
4º	quarto	**11º**	undicesimo	**23º**	ventitreesimo	...	
5º	quinto	**12º**	dodicesimo	**24º**	ventiquattresimo	**100º**	centesimo
6º	sesto	**13º**	tredicesimo	**25º**	venticinquesimo	**1000º**	millesimo
7º	settimo	...		**26º**	ventiseiesimo		

- I numeri ordinali da 1 a 10 hanno forme particolari. A partire dal numero 11 aggiungiamo il suffisso **-esimo** al numero cardinale senza la vocale finale: *undici* → ***undicesimo***.
  Con i numeri cardinali in **-tré**, invece, manteniamo la vocale finale: *ventitré* → ***ventitreesimo***, *trentatré* → ***trentatreesimo***. Come anche con i numeri cardinali in **-sei**: *trentasei* → ***trentaseiesimo***.
- I numeri ordinali sono aggettivi e quindi concordano in genere e numero con il sostantivo che accompagnano: ***il primo momento***, ***la prima volta***, ***i primi momenti***, ***le prime volte***.
- Possiamo scrivere il numero ordinale anche in cifra mettendo l'ultima letterina in alto: ***il 1º posto***, ***la 2ª classe***.

→31 Frase affermativa e frase interrogativa

Nella frase affermativa, di solito, abbiamo il seguente ordine di parole

Soggetto	*Verbo*	*Oggetto*
Sandro	ha comprato	dei fiori.
Marta	telefonerà	domani.

Una frase interrogativa e una frase affermativa spesso hanno lo stesso ordine di parole. Quello che cambia è l'intonazione, cioè il tono della voce. Voce che nella frase interrogativa si alza verso la fine della frase, cioè nell'interrogativa è caratteristica la curva intonativa ascendente (vedere il *Punto 1* di *Allegro 1* a p. 153):

Soggetto	*Verbo*	*Oggetto*
Sandro	ha comprato	dei fiori?
Marta	telefonerà	domani?

La frase interrogativa, con pronome o avverbio interrogativo, segue per lo più il seguente ordine di parole:

Pronome o avverbio interrogativo	*Verbo*	*Soggetto*
Che cosa	ha comprato	Sandro?
Quando	telefonerà	Marta?

→32 Complemento oggetto diretto e indiretto

Ho visto	**Silvia.** **tuo fratello.**	*Chi? / Che cosa?*	Complemento oggetto diretto.
Scrivo	**a Paolo.** **alla mia amica.**	*A chi?*	Complemento oggetto indiretto. Il complemento oggetto indiretto è introdotto dalla preposizione ***a***.

Fate attenzione:

- In italiano alcuni verbi richiedono il complemento oggetto diretto, per esempio:
  aiutare: ***Aiuto mio padre.***
  ringraziare: ***Ringrazio il mio professore.***
  Altri verbi richiedono il complemento oggetto indiretto, per esempio:
  telefonare: ***Telefono a Mario.***
  rispondere: ***Perché non rispondi alla mia lettera?***
- Se in una frase abbiamo sia un complemento oggetto diretto che un complemento oggetto indiretto, generalmente, mettiamo per primo il complemento oggetto diretto:
  Scrivo una lettera a mio fratello.
- Se il complemento oggetto, diretto o indiretto, è espresso da un pronome quest'ultimo lo mettiamo sempre prima del verbo coniugato (vedere anche il *Punto 6* a p. 155):
  L'*ho visto.*
  Le *scrivo.*

→33 Enfasi

Senza enfasi	*Con enfasi*	
Paola arriva stasera. Sandro ha comprato dei fiori. Che cosa mangiano i bambini?	Stasera arriva **Paola**. Ha comprato dei fiori **Sandro**? **I bambini** che cosa mangiano?	soggetto
Domani faccio il minestrone. Fabio ha montato la cucina.	**Il minestrone lo** faccio domani. **La cucina l'**ha montat**a** Fabio.	oggetto
Non vado mai al cinema.	**Al cinema** non **ci** vado mai.	luogo

Appendice: Coniugazione dei verbi

Verbi regolari

Infinito	Presente	Imperativo	*Futuro semplice*	*Condizionale presente*	*Imperfetto*	Participio / *Gerundio*
lavorare	lavoro		lavorerò	lavorerei	lavoravo	lavorato
	lavori	lavora!	lavorerai	lavoreresti	lavoravi	
	lavora	lavori!	lavorerà	lavorerebbe	lavorava	
	lavoriamo	lavoriamo!	lavoreremo	lavoreremmo	lavoravamo	lavorando
	lavorate	lavorate!	lavorerete	lavorereste	lavoravate	
	lavorano		lavoreranno	lavorerebbero	lavoravano	
vendere	vendo		venderò	venderei	vendevo	venduto
	vendi	vendi!	venderai	venderesti	vendevi	
	vende	venda!	venderà	venderebbe	vendeva	
	vendiamo	vendiamo!	venderemo	venderemmo	vendevamo	vendendo
	vendete	vendete!	venderete	vendereste	vendevate	
	vendono		venderanno	venderebbero	vendevano	
sentire	sento		sentirò	sentirei	sentivo	sentito
	senti	senti!	sentirai	sentiresti	sentivi	
	sente	senta!	sentirà	sentirebbe	sentiva	
	sentiamo	sentiamo!	sentiremo	sentiremmo	sentivamo	sentendo
	sentite	sentite!	sentirete	sentireste	sentivate	
	sentono		sentiranno	sentirebbero	sentivano	
finire	finisco		finirò	finirei	finivo	finito
	finisci	finisci!	finirai	finiresti	finivi	
	finisce	finisca!	finirà	finirebbe	finiva	
	finiamo	finiamo!	finiremo	finiremmo	finivamo	finendo
	finite	finite!	finirete	finireste	finivate	
	finiscono		finiranno	finirebbero	finivano	

Verbi regolari con particolarità

Infinito	Presente	Imperativo	*Futuro semplice*	*Condizionale presente*	*Imperfetto*	Participio / *Gerundio*
cercare	cerco		cerc**h**erò	cerc**h**erei	cercavo	cercato
	cerc**h**i	cerca!	cerc**h**erai	cerc**h**eresti	cercavi	
	cerca	cerc**h**i!	cerc**h**erà	cerc**h**erebbe	cercava	
	cerc**h**iamo	cerc**h**iamo!	...	...	...	cercando
	cercate	cercate!				
	cercano					
spiegare	spiego		spieg**h**erò	spieg**h**erei	spiegavo	spiegato
	spieg**h**i	spiega!	spieg**h**erai	spieg**h**eresti	spiegavi	
	spiega	spieg**h**i!	spieg**h**erà	spieg**h**erebbe	spiegava	
	spieg**h**iamo	spieg**h**iamo!	...	...	...	spiegando
	spiegate	spiegate!				
	spiegano					

I verbi che terminano in **-iare** perdono la **i** della radice del verbo davanti ad un'altra **i** (fanno eccezione pochi verbi: *avviare*, *inviare* ecc.): *cambiare* → ***cambi***.
I verbi che terminano in **-care** e **-gare** perdono la **i** della radice del verbo al *futuro* e al *condizionale*: *mangiare* → ***mangerò***, ***mangerei***; *cominciare* → ***comincerò***, ***comincerei***.

→34 Verbi irregolari

I verbi composti, dati da un prefisso + il verbo semplice, si coniugano come il verbo semplice. Nella scheda che segue, per esempio ***disdire*** sotto ***dire***, ***ottenere*** sotto ***tenere***, ***riuscire*** sotto ***uscire*** ecc.

Infinito	Presente		Imperativo	*Futuro* *Condizionale*	*Imperfetto*	Participio passato
andare	vado vai va	andiamo andate vanno	va'/vai vada andate	andrò andrei	andavo	andato
apparire scomparire	appaio appari appare	appariamo apparite appaiono	appari appaia apparite	apparirò apparirei	apparivo	apparso
attrarre ritrarre	attraggo attrai attrae	attraiamo attraete attraggono	attrai attragga attraete	attrarrò attrarrei	attraevo	attratto
avere	ho hai ha	abbiamo avete hanno	abbi abbia abbiate	avrò avrei	avevo	avuto
bere	bevo bevi beve	beviamo bevete bevono	bevi beva bevete	berrò berrei	bevevo	bevuto
cadere accadere	cado cadi cade	cadiamo cadete cadono	cadi cada cadete	cadrò cadrei	cadevo	caduto
cogliere accogliere, raccogliere	colgo cogli coglie	cogliamo cogliete colgono	cogli colga cogliete	coglierò coglierei	coglievo	colto
compiere	compio compi compie	compiamo compite compiono	compi compia compite	compierò compierei	compievo	compiuto
condurre	conduco conduci conduce	conduciamo conducete conducono	conduci conduca conducete	condurrò condurrei	conducevo	condotto
dare	do dai dà	diamo date danno	da'/dai dia date	darò darei	davo	dato
dire disdire	dico dici dice	diciamo dite dicono	di' dica dite	dirò direi	dicevo	detto
dovere	devo devi deve	dobbiamo dovete devono		dovrò dovrei	dovevo	dovuto
essere	sono sei è	siamo siete sono	sii sia siate	sarò sarei	ero eravamo eri eravate era erano	stato

fare	faccio fai fa	facciamo fate fanno	fa'/ fai faccia fate	farò farei	facevo	fatto
introdurre	introduco introduci introduce	introduciamo introducete introdụcono	introduci introduca introducete	introdurrò introdurrei	introducevo	introdotto
morire	muoio muori muore	moriamo morite muọiono		morirò morirei	morivo	morto
parere	paio pari pare	paiamo parete pạiono		parrò parrei	parevo	parso
piacere dispiacere	piaccio piaci piace	piacciamo piacete piạcciono		piacerò piacerei	piacevo	piaciuto
porre deporre disporre esporre proporre	pongo poni pone	poniamo ponete pọngono	poni ponga ponete	porrò porrei	ponevo	posto
possedere	possiedo possiedi possiede	possediamo possedete possiẹdono	possiedi possieda possedete	possederò possederei	possedevo	posseduto
potere	posso puoi può	possiamo potete pọssono		potrò potrei	potevo	potuto
prevalere	prevalgo prevali prevale	prevaliamo prevalete prevạlgono	prevali prevalga prevalete	prevarrò prevarrei	prevalevo	prevalso
produrre	produco produci produce	produciamo producete prodụcono	produci produca producete	produrrò produrrei	producevo	prodotto
rimanere	rimango rimani rimane	rimaniamo rimanete rimạngono	rimani rimanga rimanete	rimarrò rimarrei	rimanevo	rimasto
rimuọvere	rimuovo rimuovi rimuove	rim(u)oviamo rim(u)ovete rimuọvono	rimuovi rimuova rim(u)ovete	rimuoverò rimuoverei	rimuovevo	rimosso
salire	salgo sali sale	saliamo salite sạlgono	sali salga salite	salirò salirei	salivo	salito
sapere	so sai sa	sappiamo sapete sanno	sappi sappia sapete	saprò saprei	sapevo	saputo
scẹgliere	scelgo scegli sceglie	scegliamo scegliete scẹlgono	scegli scelga scegliete	sceglierò sceglierei	sceglievo	scelto

sciogliere	sciolgo sciogli scioglie	sciogliamo sciogliete sciolgono	sciogli sciolga sciogliete	scioglierò ________ scioglierei	scioglievo	sciolto
spegnere	spengo spegni spegne	spegniamo spegnete spengono	spegni spenga spegnete	spegnerò ________ spegnerei	spegnevo	spento
stare	sto stai sta	stiamo state stanno	sta'/stai stia state	starò ________ starei	stavo	stato
tenere contenere mantenere ottenere sostenere	tengo tieni tiene	teniamo tenete tengono	tieni tenga tenete	terrò ________ terrei	tenevo	tenuto
togliere	tolgo togli toglie	togliamo togliete tolgono	togli tolga togliete	toglierò ________ toglierei	toglievo	tolto
tradurre	traduco traduci traduce	traduciamo traducete traducono	traduci traduca traducete	tradurrò ________ tradurrei	traducevo	tradotto
uscire riuscire	esco esci esce	usciamo uscite escono	esci esca uscite	uscirò ________ uscirei	uscivo	uscito
vedere prevedere rivedere	vedo vedi vede	vediamo vedete vedono	vedi veda vedete	vedrò ________ vedrei	vedevo	visto
venire avvenire convenire divenire prevenire provenire	vengo vieni viene	veniamo venite vengono	vieni venga venite	verrò ________ verrei	venivo	venuto
vivere soprav- vivere	vivo vivi vive	viviamo vivete vivono	vivi viva vivete	vivrò ________ vivrei	vivevo	vissuto
volere	voglio vuoi vuole	vogliamo volete vogliono		vorrò ________ vorrei	volevo	voluto

Quasi tutti i verbi hanno le forme del gerundio regolari.
Eccezioni: *attrarre* → ***attraendo***, *bere* → ***bevendo***, *fare* → ***facendo***, *dire* → ***dicendo***, *porre* → ***ponendo***, *produrre* → ***producendo***, *proporre* → ***proponendo***, *ritrarre* → ***ritraendo***.

Verbi con il participio passato irregolare

accendere	acceso	divenire	divenuto	rimanere	rimasto
accogliere	accolto	emergere	emerso	rimuovere	rimosso
aggiungere	aggiunto	escludere	escluso	riprendere	ripreso
apparire	apparso	esistere	esistito	riscoprire	riscoperto
appendere	appeso	esporre	esposto	risolvere	risolto
apprendere	appreso	esprimere	espresso	ritrarre	ritratto
aprire	aperto	essere	stato	rivedere	rivisto
assumere	assunto	fare	fatto	scegliere	scelto
attendere	atteso	fondere	fuso	sciogliere	sciolto
attrarre	attratto	giungere	giunto	scomparire	scomparso
avvenire	avvenuto	interrompere	interrotto	scoprire	scoperto
bere	bevuto	introdurre	introdotto	scrivere	scritto
chiedere	chiesto	mettere	messo	smettere	smesso
cogliere	colto	morire	morto	soffrire	sofferto
comprendere	compreso	nascondere	nascosto	sopravvivere	sopravvissuto
condividere	condiviso	offrire	offerto	sorridere	sorriso
condurre	condotto	parere	parso	spegnere	spento
convenire	convenuto	perdere	perso	stendere	steso
convincere	convinto	piangere	pianto	stravincere	stravinto
convivere	convissuto	porre	posto	stringere	stretto
correre	corso	prendere	preso	succedere	successo
corrispondere	corrisposto	prevalere	prevalso	svolgere	svolto
crescere	cresciuto	prevedere	previsto	togliere	tolto
decidere	deciso	prevenire	prevenuto	tradurre	tradotto
deludere	deluso	produrre	prodotto	trascorrere	trascorso
deporre	deposto	proporre	proposto	trascrivere	trascritto
descrivere	descritto	provenire	provenuto	vedere	visto
diffondere	diffuso	raccogliere	raccolto	venire	venuto
dipendere	dipeso	reggere	retto	vincere	vinto
dire	detto	rendere	reso	vivere	vissuto
discutere	discusso	richiedere	richiesto		
disdire	disdetto	riflettere	riflesso/		
disperdere	disperso		riflettuto		
disporre	disposto	rileggere	riletto		

Glossario per unità

Qui trovate raccolte le parole di ogni unità e accanto ad ognuna lo spazio per scrivere la traduzione nella vostra lingua. Le parole seguono l'ordine in cui compaiono all'interno di ogni singola unità.
In italiano l'accento di parola, di solito, cade sulla penultima sillaba. Nelle parole per cui non è valida questa regola la vocale accentata è indicata con un trattino (ad esempio: essere). L'accento è, inoltre, evidenziato nei nomi di persona, di luogo, città, regione, paese e in alcune parole che possono creare dei dubbi (ad esempio: erboristeria).
I verbi incontrati sono riportati soprattutto all'infinito. Per i verbi della terza coniugazione, cioè in -ire, che si coniugano con l'aggiunta dell'elemento -isc- tra la radice e la desinenza, viene data la prima persona singolare del presente indicativo, come anche per i verbi che hanno le forme del presente indicativo irregolari. Inoltre, accanto ai verbi all'infinito è indicato il participio passato, solo se irregolare, e l'ausiliare essere (aus. *ess.*) per i verbi che lo richiedono nei tempi composti.

Abbreviazioni

aus. ausiliare
avv. avverbio
ess. essere
f. femminile
fam. familiare
inf. infinito
m. maschile
pl. plurale
p.p. participio passato
q.c. qualcosa
qu. qualcuno
sg. singolare

UNITÀ 1 *Che piacere rivederti?*

Che piacere rivederti!
il piacere
rivedere qu./ q.c. (*p.p.* rivisto)
guardare
completare
scegliere q.c./ qu., scelgo (*p.p.* scelto)
ogni
la situazione
la frase più adatta
adatto/ -a
finalmente (*avv.*)
Ma guarda che sorpresa!
la sorpresa
No, non è possibile.
Ma chi si rivede?
Lei non è il professor Grassi?
Ci conosciamo? (*inf.* conoscersi)
Non sei cambiato molto.
cambiare (aus. *ess.*)
Come no?
i capelli (*pl.*)
la risposta
il dialogo registrato
registrare
la relazione
esistere (*p.p.* esistito - aus. *ess.*)

A1

ascoltare
Quand'è che ...?
l'ultima volta
ultimo/ -a
ci vediamo (*inf.* vedersi)
almeno (*avv.*)
... come passa il tempo!
passare (*p.p.* passato - aus. *ess.*)
non ... per niente
lungo/ -a (*pl.* -ghi/ -ghe)
sempre
magro/ -a
sembri ancora una ragazzina.
sembrare (aus. *ess.*)
il complimento
E poi non ho neanche più la barba.
non ... neanche
non ... più
la barba
Però stai bene anche così.
però
i baffi (*pl.*)
raccontare q.c. a qu.

A2

rileggere (*p.p.* riletto)
aggiungere (*p.p.* aggiunto)
mancante
mancare
Quali differenze notate rispetto a ...
la differenza
notare q.c.
rispetto a ...

A3

identificare q.c./ qu.
gli uomini (*sg.* - l'uomo)
adesso (*avv.*)
la descrizione
calvo/ -a
gli occhi (*sg.* - l'occhio)
chiaro/ -a
alto/ -a

... non è né grasso né magro. ....
né ... né ... .
grasso/ -a ....
piuttosto (*avv.*) ....
corto/ -a ....
liscio/ -a (*pl.* - lisci/ -sce) ....
il viso ....
riccio/ -a (*pl.* - ricci/ -ce) ....
scuro/ -a ....
la fronte ....

A4

lavorare ....
in gruppi ....
pensare ....
persona famosa ....
famoso/ -a (*pl.* - famosi/ -e) ....
descrivere q.c./ qu. (*p.p.* descritto) ....
l'aspetto ....
indovinare q.c. ....

A5

fare q.c., faccio (*p.p.* fatto) ....
la conversazione ....
in coppia ....
mostrare ....
il/la compagno/ -a (di corso) ....
il documento (di riconoscimento) ....
la patente ....
la carta d'identità ....
vecchio/ -a (*pl.* - vecchi/ -ie) ....
da allora ....
ancora ....

B

Ci siamo un po' persi di vista. ....
perdersi di vista (*p.p.* perso) ....

B1

continuare ....
... che fai di bello adesso? ....
trasferirsi ....
... sono venuto a trovare i miei. ....
i miei ....
Mi fermo per un po' (*inf.* fermarsi) ....
sposarsi ....
lasciarsi ....
già (*avv.*) ....
da un pezzo ....
veramente (*avv.*) ....
alcuni/ -e ... altri/ -e ... .
ora che ci penso ....
proprio la settimana scorsa ....
il liceo ....
Ti ricordi di lei, no? ....
ricordarsi di qu./ q.c. ....
incontrare - incontrarsi ....
proprio per caso ....

la Feltrinelli ....
da poco ....
mettersi in proprio (*p.p.* messo) ....
aprire q.c. (*p.p.* aperto) ....
essere contento/-a per qu./q.c ....

B2

osservare ....
inserire ....
il verbo riflessivo ....

B3

dall'ultimo incontro ad oggi ....
negli ultimi anni ....

B4

scrivere (*p.p.* scritto) ....
la storia ....
essere molto amici ....
per un certo periodo ....
il periodo ....
lo/la stesso/ -a (*pl.* - gli/le stessi/ -e) ....
immaginare q.c. ....

Lettura 1

il quadro (*pl.* - i quadri) ....
raffigurare ....
il ritratto ....
Francesco Mazzola ....
detto il Parmigianino ....
nascere (*p.p.* nato - aus. *ess.*) ....
Parma ....
deve alla sua città natale ....
dovere q.c. a qu. ....
lo pseudonimo con cui diventa ... .
il pittore (*f.* - la pittrice) ....
elegante ....
l'amante (*m./f.*) ....
la poesia ....
concepito/ -a ....
(in modo) statico ....
in continuo movimento ....
raffinato/ -a ....
intellettuale ....
alla ricerca di q.c./ qu. ....
entusiasmarsi ....
Michelangelo ....
Raffaello ....
il Cinquecento ....
frequentare ....
gli ambienti del potere ....
sperimentare q.c. ....
appassionarsi a q.c. ....
l'esoterismo ....
rovinare qu. ....
la sfortuna ....
l'ossessione (*f.*) ....
l'alchimia ....

grazioso/ -a
lo specchio
dalla faccia segnata
la faccia (*pl.* - le facce)
incolto/ -a
dimostrare q.c. a qu.
la trasformazione
la decadenza
l'autoritratto
il berretto
ammalarsi
morire, muoio (*p.p.* morto - aus. *ess.*)

Lettura 2

sottolineare
l'aggettivo
riferirsi a q.c./ qu., mi riferisco
illustrare

C

Ho fatto amicizia con Paola.
fare amicizia con qu.

C1

la mail (l'e-mail)
trovarsi
Torino
dare le ultime notizie a qu.
sentirsi a casa
uscire, esco (*p.p.* uscito - aus. *ess.*)
qualche volta (*sg.*)
il/la collega (*pl.* - i/le colleghi/ -ghe)
(essere) di buon umore
l'umore (*m.*)
andare in giro per la città (aus. *ess.*)
soprattutto
il caffè (*pl.* - i caffè)
la pasticceria (*pl.* - le pasticcerie)
la scorpacciata
il gianduiotto
(avere una) passione per q.c.
il teatro
il corso di recitazione
scoprire q.c. (*p.p.* scoperto)
il tempo libero
recitare
la compagnia di attori dilettanti
l'attore (*f.* - l'attrice)
insomma (*avv.* - in breve)
chiedere a qu. di fare q.c. (*p.p.* chiesto)
la prova
andarci, ci vado
(essere) alla mano
Mi sono sentita subito a mio agio.
sentirsi a proprio agio
in particolare
timido/ -a
disponibile
Londra
vivere (*p.p.* vissuto)
come me
avere q.c. in comune
le ho telefonato
gli/ le
telefonare a qu.
proporre q.c. a qu.
proporre, propongo (*p.p.* proposto)
la crisi
scrivere q.c. a qu.
l'interesse (*m.*)
avere (degli) interessi

C2

prendere appunti (*p.p.* preso)
raccogliere, raccolgo (*p.p.* raccolto)
l'espressione (*f.*)
il carattere
quello che c'è nel testo

C3

il personaggio
a coppie
attribuire, attribuisco
ognuno/ -a
seguente
arrogante
affascinante
noioso/ -a
antipatico/ -a
estroverso/ -a
introverso/ -a
sensibile
energico/ -a

C4

ricercare q.c.
il pronome (*pl.* - i pronomi)

C5

pronomi indiretti
indiretto/ -a
chiarire q.c., chiarisco

C6

... creare q.c.
il contatto
migliorare q.c.
il rapporto
dei vicini difficili
difficile
riprendere q.c. (*p.p.* ripreso)
prendere contatto con qu./ q.c.
(avere) una brutta discussione
brutto/ -a
utile
portare q.c. a qu.

dare q.c. a qu.
offrire q.c. a qu. (*p.p.* offerto)
domandare q.c. a qu.
chiedere scusa a qu. di q.c.
regalare q.c. a qu.

Ascolto 1
l'ascolto
mettere una crocetta (*p.p.* messo)
informarsi su q.c.
lo spettacolo
acquistare q.c.
il biglietto
richiedere q.c. (*p.p.* richiesto)
il programma
la galleria
la balconata
il palco (*pl.* - i palchi)
la fila
la platea

Ascolto 2
i dati
il computer
stampare
l'opera
il concerto
il balletto
la matinée
pomeridiano/ -a
serale
il biglietto omaggio
ridotto/ -a
normale
il pagamento
in contanti
con la carta Bancomat
con la carta di credito

Ascolto 3
collegare
tracciare (una linea)
l'impiegato/ -a
Mi dispiace ...
(essere) esaurito/ -a
la rappresentazione
la riduzione
Ah, che rabbia.
No, purtroppo no.

D
Vi vengo a prendere?

D1
Vi va di andare a bere qualcosa?
bere, bevo (*p.p.* bevuto)
appena (*avv.*)
decidere di fare q.c. (*p.p.* deciso)
All'*Alfieri* danno ...
Perché non vieni anche tu?
Mah, in fondo ... perché no?
incominciare a + *inf.*
magari
accompagnare qu.
Dove siete di preciso?
da qualche parte
No, non c'è bisogno.
aspettare qu.
davanti a ...
A dopo.
la serata

D3
fare una proposta
la proposta
accettare
rifiutare

D4
breve
seguire
ricevere un invito
l'invito

D5
il programma delle manifestazioni
torinese
mettersi d'accordo con qu. su q.c.
il/la vicino/ -a
trascorrere (*p.p.* trascorso)
fissare
il luogo dell'incontro
(la) danza in strada
danzare
il capoluogo piemontese
dalle ... alle ...
l'artista (*m./f.*)
ciascuno/ -a
il proprio/ la propria
lo stile
contemporaneo/ -a
neoclassico/ -a
afro (africano/ -a)
il brano
Alba
Antico in musica
il mercatino di antichità
l'intermezzo musicale
Il mercato si tiene la domenica.
tenere, tengo
intero/ -a
l'orchestra
... dal vivo
ispirarsi a q.c.
la vicenda biblica
andare in scena (aus. *ess.*)

la scena
strabiliante
(essere) il frutto della collaborazione
l'autore (*f.* - l'autrice)
il capolavoro
l'interno
la Mole Antonelliana
Il museo è articolato su cinque livelli.
il livello
l'archeologia
la macchina del cinema
la collezione
il manifesto
la videoinstallazione
la sala del Tempio
il locale
il valore storico
conservarsi
esattamente (*avv.*)
... al momento
la nascita
il "bicerin"
l'Ottocento
la bevanda più consumata
consumare
la mattinata
il segreto
il successo
sapiente
il dosaggio
il latte
la cioccolata
mescolare
... sul momento

Ricapitoliamo!
prendere l'identità di qu.

UNITÀ 2 *Che bella casa!*

Che bella casa!
l'illustrazione (*f.*)
A cosa vi fanno pensare le immagini?
l'immagine (*f.*)
aiutarsi l'un l'altro
cambiare la moquette
mettere la carta da parati
appendere q.c. (*p.p.* appeso)
la lampada
imbiancare le pareti
la parete
montare q.c.
il mobile
da solo/ -a
l'imbianchino
l'elettricista
l'idraulico
il falegname

A

Abbiamo cambiato casa.
cambiare casa

A1

l'annuncio (*pl.* - gli annunci)
l'appartamento
affittasi
la zona
mq. (metro quadrato)
il piano
il vano
il soggiorno
luminoso/ -a
l'angolo cottura (*m.*)
il bagno
il balcone
la cantina
il riscaldamento centralizzato
l'ascensore (*m.*)
lo stabile (di buon livello)
vicino/-a a ...
i servizi
la fermata del(l'auto)bus
arredato/ -a
arredare
circa
il pianoterra
il terrazzo
il riscaldamento autonomo
la piscina
il negozio (*pl.* - i negozi)
PAM (supermercato)
quinto/ -a
la cucina abitabile
panoramico/ -a
l'immobile (*m.*)
situato/ -a
tranquillo/ -a
ottimamente (*avv.*)
servito da mezzi pubblici
i mezzi pubblici
i servizi commerciali

A2

prendere nota
la caratteristica
insomma
scusa se ...
farsi sentire (*p.p.* fatto)
(avere) un sacco da fare (*fam.*)
davvero (*avv.* - veramente)
il quartiere
avere proprio un/ una ...
proprio (*avv.* - veramente)
più grande
la luce
la camera

lo studio
spazioso/ -a
in parte
per fortuna
saper fare di tutto
in casa
mettere le piastrelle
addirittura (*avv.*)
risparmiare
un bel po'
mettere il parquet
la ditta
è tutto a posto
più o meno
il trasloco
la tenda
dare una mano a qu.
cucire

A3

il talento
fondare un'impresa
presentare

A4

succedere (*p.p.* successo - aus. *ess.*)
pronome diretto
diretto/ -a
venire usato/ -a
venire, vengo (*p.p.* venuto - aus. *ess.*)
il passato prossimo

A5

il lampadario

A6

Com'è la ... casa?
Che cosa c'è di bello?

A7

la coppia
mettere su casa
per la prima volta
primo/ -a
prendere spunto da q.c.
il disegno
la cornice
il servizio di bicchieri
il set di pentole
il tappeto
il set di asciugamani
il televisore
la padella
il forno a microonde
il forno

A8

il proprietario (*f.* - la proprietaria)
eventuale
l'inquilino
uno ..., l'altro ...
la lista
le informazioni da dare
le domande da fare
il prezzo
interessante (*m./f.*)

A9

scambiare la casa
affittare

B

Una casa tutta da vivere.

B1

accanto a
l'oggetto
corrispondente
Nel centro di ...
la ruota
Gae Aulenti
il divano
la poltroncina
in legno
il ripiano
la libreria
lo spazio
la TV (tivù)
funzionale
moderno/ -a
al centro (di)
il lavello
il fornello
la sedia
l'ingresso
arancione
illuminare
la lampada a soffitto
il soffitto
sopra
la panca
originale
la camera matrimoniale
tutto/ -a bianco/ -a
il tavolino
al posto di
il comodino
l'armadio
a tutta altezza
tradizionale
il bidet
il lavandino
senza

la vasca da bagno
la doccia
nascondere (*p.p.* nascosto)
dietro
l'ambiente (*m.*)
preferire, preferisco
particolarmente (*avv.*)

B2

Ne conoscete altri?
conoscere (*p.p.* conosciuto)

B3

riguardare
precedente
lo specchietto
ricordare q.c. o qu.
la posizione

B4

fare dei progetti
il progetto
la piantina
disporre, dispongo (*p.p.* disposto)
il tavolo da pranzo

B6

la stanza

C

la periferia

C1

la zona in cui abita
Che bel fresco che c'è qui da te.
il motivo per cui ...
volentieri (*avv.*)
avere ragione
non so se (mi piacerebbe)
avere l'impressione di essere ...
l'impressione (*f.*)
essere tagliato/ -a fuori
abitare in centro
non ... per tutto l'oro del mondo
il mondo
Assolutamente no.
a pochi passi
il distaccamento di ...
la biblioteca comunale
il cinema (*pl.* - i cinema)
se ti viene voglia di ...
avere voglia di ...
fare due passi in centro
a cento metri da ...
contento tu ...
troppo
essere abituato/-a a
i ritmi cittadini
convincere (*p.p.* convinto)
il garage
il parcheggio
la sera
il minuto (*pl.* - i minuti)
Sta' zitto!
zitto/ -a
C'è da diventar matti!
il vantaggio

C2

esprimere (*p.p.* espresso)

C3

la forma (verbale)
il condizionale

C4

la lacuna
appropriato/ -a
la campagna
cambiare (ritmo di vita)
completamente (*avv.*)
stare all'aria aperta (aus. *ess.*)
stare a contatto con ... (aus. *ess.*)
la natura
essere d'accordo
il cane
lasciare
lamentarsi
il rumore (*pl.* - i rumori)

C6

fare un elenco di q.c.
utilizzare q.c.
spesso (*avv.*)
mai (*avv.*)
spostarsi
di solito (*avv.*)

C7

il casolare
ristrutturare
vendere q.c. a qu.
le idee (*sg.* - l'idea)

D1

il fattore
valutare
la classifica
la qualità della vita
Sondrio
Foggia
l'indagine (*f.*)
annuale
realizzare q.c.
Il Sole 24 Ore (quotidiano economico)
analizzare q.c.

il capoluogo di provincia ....
la provincia (*pl.* - le province/cie) ....
occupare ....
Bolzano ....
ex ....
passare da ... a ... .
quindicesimo/ -a ....
nono/ -a ....
terzo/ -a ....
Trento ....
quarto/ -a ....
Aosta ....
diventare (aus. *ess.*) ....
il campione ....
bisogna ottenere la miglior media ....
ottenere q.c., ottengo ....
l'area di valutazione ....
il tenore di vita ....
l'affare (*m.*) ....
l'ambiente (*m.*) ....
la sicurezza ....
la popolazione ....
infine (*avv.*) ....
stravincere (*p.p.* stravinto) ....
la categoria ....
l'ingrediente (*m.*) ....
l'occupazione (*f.*) ....
sicuro/ -a ....
ben retribuito/ -a ....
infatti ....
la disoccupazione ....
limitato/-a a ... .
il reddito pro capite ....
funzionare ....
la criminalità ....
l'aria ....
bocciare qu. ....
il campo ....
economico/ -a ....
la Puglia ....
escludere (*p.p.* escluso) ....
Lecce ....
siciliano/ -a (*pl.* - siciliani/ -e) ....
il Sud ....
la graduatoria ....
L'Aquila ....
quarantesimo/ -a ....
l'Emilia-Romagna ....
perdere punti (*p.p.* perso) ....
il settore ....

D3

riformulare ....
sostituire, sostituisco ....
evidenziare ....
il superlativo assoluto ....
ricco/ -a ....
l'aspetto ....
negativo/ -a ....
il tasso d'inquinamento ....
estremamente (*avv.*) ....
elevato/ -a ....

D5

discutere (*p.p.* discusso) ....
assegnare ....
il punteggio ....
in relazione a ... .

D6

il risultato ....

Ascolto 2

la casella opportuna ....
la soluzione ....
il divano letto ....
a pochi minuti dal centro ....
per tutto il periodo ....
tutto compreso ....

Si dice così

condividere (*p.p.* - condiviso) ....
l'opinione (*f.*) ....
scusarsi ....
motivare ....
il silenzio ....
la posizione ....
la sensazione ....
la supposizione ....
l'aiuto ....
il dubbio ....
la capacità ....
l'abilità ....

UNITÀ 3 *Ripasso*

A

su e giù ....
le Alpi ....

A1

formare ....
il divertimento ....
il dado ....
la pedina ....
la casella di partenza/ di arrivo ....
il Brennero ....
passare le vacanze sulle Alpi ....
la vacanza (*pl.* - le vacanze) ....
trekking ....
l'escursione (*f.*) ....
la scalata (in alta montagna) ....
visitare ....

la tappa
il capoluogo
l'Alto Adige
bilingue
l'albergo (*pl.* - gli alberghi)
confortevole
in stile tirolese
Cortina d'Ampezzo
la regina delle Dolomiti
fare shopping
il profumo
il/la parente
il commesso
che tipo è
i gusti (*sg.* - il gusto)
Tarvisio
la finestra sull'Europa
al confine tra ...
l'Austria
la Slovenia
la foresta
intatto/ -a
il rifugio
il Ghiacciaio (della Marmolada)
cominciare a ...
Palermo
diverso/ -a
l'aspetto fisico
rinascimentale
il vigneto
il castello
i dintorni (*m.pl.*)
preromanico
Brescia
la Franciacorta
la collina
noto/ -a
comprendere (*p.p.* compreso)
il comune
la cantina
la gita
la mountain-bike
Bergamo
la cattedrale
la torre civica
civico/ -a
il palazzo storico
l'agenzia immobiliare
rimanere fermi un giro
rimango (*p.p.* rimasto - aus. *ess.*)
la Brianza
la zona industriale
la Lombardia
Cantù
la produzione
classico/ -a
cinquecentesco/ -a
la facciata
barocco/ -a
durante
una passeggiata rilassante lungo ...
il (fiume) Po
il Monte Bianco
l'altezza
la cima
la Francia
la Svizzera
la funivia
Courmayeur
l'origine (*f.*)
l'altitudine (*f.*)
l'abitante (*m./f.*)
circondare q.c.
fermarsi
Stresa
il Lago Maggiore
riposarsi
stressante
il traghetto
le Isole Borromee
pittoresco/ -a
«Quel ramo del Lago di Como» ...
I promessi sposi
Alessandro Manzoni
la vita sentimentale
instabile
la novità (*pl.* - le novità)
il giornale locale
in vendita
l'agriturismo
Livigno
il Parco Nazionale dello Stelvio
sciare
il portico (*pl.* - i portici)
medioevale
Merano
il Castel Tirolo

B1

siccome
l'esigenza
avere bisogno di q.c. o di qu.
il pianoforte
guidare (la macchina)
la scelta

C1

vivere q.c. insieme
per la gioia di qu.

C2

l'appuntamento
raggiungere (*p.p.* raggiunto)
il traffico
bloccato/ -a
bloccare

smontare (il palco)
la chiusura
esibirsi
l'incidente (*m.*)
provocare
la semi-paralisi
Roma
il volo
cancellare
lo sciopero (generale)
il traffico aereo
da e verso ...
la destinazione
giornaliero/ -a

Italia & italiani

Ci vediamo più tardi!

il giorno feriale
il fine settimana
l'abitazione privata
determinare
la vivacità
naturalmente (*avv.*)
il clima
invitare
fuori
l'orario di lavoro
il resto
finire di ...
il dopocena
adattarsi a q.c.
di solito
andare a letto (aus. *ess.*)
prima di ...
intorno a ...
l'aperitivo
stare in compagnia (aus. *ess.*)
la compagnia
i meno giovani
l'adulto
il ristorante
la pizzeria
prima o dopo
... in allegria
avvenimento (cittadino)

Dove abitare?

variare
a seconda di ...
scomodo/ -a
trascurato/ -a
trascurare q.c./ qu.
nel complesso
legare
l'architettura
millenario/ -a
ridotto/ -a
paragonare q.c. con qualcos'altro

Dalla Fiat alla Mole Antonelliana

la Fiat
la Sindone
prestigioso/ -a
delizioso/ -a
il Piemonte
attraversato/ -a
il fiume
conservare q.c.
la scacchiera
costruire, costruisco
il feudo
i Savoia
il destino
la capitale
il Regno d'Italia
A partire da ...
lo sviluppo
l'industria automobilistica
richiamare forti flussi di migrazione
il flusso
varcare
la fama
gli Agnelli
eppure
città d'arte
il simbolo
immortalare
la moneta da ... centesimi
israelitico/ -a
fare parte di ...
il Museo Egizio
Il Cairo

UNITÀ 4 *Come sto bene!*

Come sto bene!
il prodotto (alimentare)
riconoscere (*p.p.* riconosciuto)
Questa Italia. Difficile non amarla.
Terre d'Italia
le tradizioni locali
qualcosa di unico
(essere/andare) orgoglioso/ -a di q.c.
incredibile
diffuso/ -a
la regione
la città
il paese
associare
piccante
secco/ -a
fresco/ -a
dolce
amaro/ -a
salato/ -a
usare
abitualmente (*avv.*)

A

Non si fabbrica. Si fa. ....
fabbricare ....

A1

Parmigiano-Reggiano ....
il secolo ....
gran formaggio ....
per eccellenza ....
citare q.c./ qu. ....
Boccaccio Giovanni ....
Il Decamerone ....
il modo ....
... di sempre ....
la denominazione di origine protetta ....
si produce (*inf.* produrre) ....
produrre, produco (*p.p.* prodotto) ....
il caseificio ....
artigianale ....
Reggio Emilia ....
Modena ....
Bologna ....
alla sinistra di ....
alla destra di ....
il fiume Reno ....
Mantova ....
la regola ....
rigoroso/ -a ....
fare a mano ....
crudo/ -a ....
il litro (l.) ....
il chilo (kg.) ....
il siero ....
il caglio ....
impiegare ....
il conservante ....
il colorante ....
la forma di formaggio ....
stagionare ....
bisogna + *inf.* ....
pulire, pulisco ....
girare ....
controllare ....
giorno per giorno ....
l'alimento ....
completo/ -a ....
sano/ -a ....
genuino/ -a ....
(essere) ricco/ -a di ... .
la proteina ....
la vitamina ....
il calcio ....
il fosforo ....
altamente (*avv.*) ....
digeribile ....
la ricetta ....

A2

il luogo di provenienza ....

A3

Come si fa ...? ....

A4

olio d'oliva ....
macinare ....
spremere ....
filtrare ....
imbottigliare ....
in autunno ....
il frantoio ....
fino a ... .
una specie di pasta ....
la pressa ....

A5

consumare il pasto ....
il pane ....
la pasta ....
la birra ....

B

Cosa stai facendo di buono? ....

B1

Cosa c'è per cena? ....
la cena ....
Hmm che profumino. ....
gli gnocchi alla romana ....
È una vita che non li mangio. ....
E di secondo cosa c'è? ....
riempire, riempio ....
le verdure alla griglia ....
accendere (*p.p.* acceso) ....
Quanto tempo ci vuole ancora? ....
Poco, è quasi pronto. ....
apparecchiare (la tavola) ....
chiamare qu. ....
qui sotto ....
Meno male ... .
Sto morendo dalla fame. ....
la fame ....
dunque ....
freddo/ -a ....

B2

Cosa stanno facendo ... .
esprimersi (*p.p.* espresso) ....

B3

fare la doccia ....
suonare il pianoforte ....

B4

l'ospite (*m./f.*)
il tovagliolo
piegare
la forchetta
l'antipasto
il primo (piatto)
il secondo (piatto)
il sottopiatto
il piatto
il piattino
il coltello
il cucchiaio
il brodo
il bicchiere da vino
un bicchiere di vino
il coltellino e la forchettina da frutta
la frutta
il cucchiaino da dolce
il dolce

C1

(essere) difficile da preparare
ci vuole
l'impasto
tagliare
la preparazione
ci vogliono
l'uovo (*pl.* - le uova)
il semolino

C2

in corsivo
la dose
g. (grammi)
il burro
grattugiare
il tuorlo (d'uovo)
un pizzico di ...
la noce moscata
il sale
condire, condisco
far bollire
togliere, tolgo (*p.p.* tolto)
il composto
il fuoco
rimescolare
versare
il piano di marmo
stendere (*p.p.* steso)
lo spessore
cm. (centimetro)
tagliare in tondini
lo stampo
del diametro di ...
la pirofila
fondere (*p.p.* fuso)
la temperatura

C4

necessario/ -a
la pizza
il risotto ai funghi
l'arrosto di vitello
le lasagne
il tiramisù
il minestrone

C5

l'occasione
il picnic
estivo/ -a
il cenone di Capodanno
la festa di compleanno

Ascolto 1

la canzone
Ci vuole un fisico bestiale
il titolo

Ascolto 2

riferire, riferisco

Ascolto 3

ci vuole un attimo di pace
l'allenamento
siam (siamo)
la barca (*pl.* - le barche)
in mezzo al ...
stare dritti controvento
fumare
il mondo dei grandi
resistere agli urti della vita
fare quello che ti pare
essere ad un incrocio

D1

praticare (uno sport)
tenere le spalle rilassate
la spalla (*pl.* - le spalle)
rilassato/ -a (*pl.* rilassati/ -e)
piegare le braccia
il braccio (*pl.* - le braccia)
il gomito
il corpo
il dito (*pl.* - le dita)
la mano (*pl.* - le mani)
semichiuso/ -a
scaricare il peso del corpo in avanti
scaricare
il peso
in avanti

D2

l'intervista
responsabile

il gruppo sportivo
la disciplina sportiva
il fitwalking
introdurre, introduco (*p.p.* introdotto)
numeroso/ -a
Di cosa si tratta (precisamente)?
trattarsi di ...
preciso/ -a
più ... di ...
tecnicamente
semplice
la marcia
complesso/ -a
camminare
in fondo è tutto lì
la preparazione atletica
all'inizio
l'inizio
basta + *inf.*
l'andatura
veloce
aumentare
l'intensità
la durata
mezz'ora al giorno
comunque
meno ... di ...
faticoso/ -a
il jogging
il percorso
consigliabile
la pianura
eseguire
la camminata
corretto/ -a
il beneficio (*pl.* - i benefici)
costante
fa bene a ...
la circolazione
aiutare qu.
dimagrire, dimagrisco (aus. *ess.*)

D3

A che cosa fa bene?
consigliare q.c. a qu.
il calcio
la pallacanestro
il body-building
il nuoto
il ciclismo
il jogging
lo sci

D5

la condizione generale
l'attrezzatura

D7

fare un/dei paragone/-i
il paragone
costoso/ -a
divertente
pericoloso/ -a

E1

venire in mente a qu.

E3

la manifestazione
l'appassionato del fitness
(essere) appassionato/-a di ...
la Sicilia
il villaggio turistico
Trapani
eccitante
partecipare a q.c.
la vela
l'aerobica
in più
la Valle dei Templi
a tema
il mare
l'animazione (*f.*)
la discoteca
la spiaggia (*pl.* - le spiagge)
il trekking
CAI (Club Alpino Italiano)
l'itinerario
il monte
la Costiera Amalfitana
la costiera
oltre a
il Monte S. (Sant') Angelo
i Tre Pizzi nei Monti Lattari
il Monte Solaro
Capri
prevedere q.c. (*p.p.* previsto)
la traversata
la Penisola Sorrentina
essere in forma
sicuramente (*avv.*)
l'alimentazione (*f.*)
la festa dello speck
mangiar sano
assaggiare q.c.
il prodotto locale
ottimo/ -a
la qualità
lavorato secondo la tradizione
accompagnato/ -a da ...
il gioco

E4

il superlativo relativo

E5

formulare ....
fare pubblicità a ... .
il prodotto grastronomico ....
tipico/ -a ....
la zona turistica ....
da non perdere ....

E6

il fumetto ....
la palestra ....

Ricapitoliamo!

all'insegna di ... .
il benessere ....
dedicarsi a q.c. ....
portare q.c. in tavola ....

Si dice così

ciò che ....
riflettere ....
la necessità ....
il parere ....
giungere ad una conclusione ....
giungere (*p.p.* giunto) ....
quindi ....
il sollievo ....

UNITÀ 5 *Qui prima c'era ...*

Qui prima c'era ... .
i pantaloni a zampa di elefante ....
i pattini a rotelle ....
la stufa a legna ....
il disco a 45 giri ....
la Cinquecento ....
il telefono a disco ....
il telegramma ....
la videocamera ....
il cubo di Rubik ....
il passato ....

A

Sei un tipo nostalgico? ....

A1

il mercatino delle pulci ....
il pelouche ....
il giocattolo ....
l'infanzia ....
fare q.c. con piacere ....
te stesso ....
entusiasmare ....
il mezzo di comunicazione ....
portare con sé ....
un vecchio amore ....
il viaggio premio ....
lo spazio ....
la conchiglia ....
capitare q.c. a qu. (aus. *ess.*) ....
il rimpianto ....
rimpiangere (*p.p.* rimpianto) ....

A2

riferire, riferisco ....
sommare ....
il totale ....
la casella ....
di colore rosso ....
la nostalgia ....

A3

la bancarella ....
usato/ -a ....
adorare ....
la posata ....
neanche a me ....
anzi ....
sopportare ....
la pazienza ....
stare lì a cercare ....
la roba ....

A4

Anch'io. ....
Neanch'io. ....

A5

essere della stessa opinione ....
avere opinioni diverse ....

A6

i vecchi tempi ....
sognare ....
l'oggetto ricordo ....

B

I Navigli milanesi ....
il naviglio ....

B1

gli anni Trenta ....
il porto ....
la darsena (di Porta Ticinese) ....
fitto/ -a ....
la rete ....
il canale ....
navigabile ....
il Mare Adriatico ....
partire da ... (aus. *ess.*) ....
l'Adda ....
il Lambro ....
il Ticino ....

interno/ -a
la Cerchia dei Navigli
la navigazione
il barcone
trasportare
il marmo di Candoglia
servire per ... (aus. *ess.*)
la costruzione
il Duomo di Milano
la compagnia (per il trasporto di ...)
il/la passeggero/ -a
il trasporto delle merci
la merce
lungo i navigli
la bottega (*pl.* - le botteghe)
il magazzino
i primi anni del 1900
la lavandaia
(fare) il bucato
la copertura
rendere possibile
l'allargamento
l'edificio

B3

corrispondere a q.c. (*p.p.* corrisposto)
Com'era Milano agli inizi del 1900?

B4

Piazza Navona
esserci, ci sono (*p.p.* stato - aus. *ess.*)
svolgersi (*p.p.* svolto)
aver luogo
odierno/ -a
la fontana
la chiesa di S. (Santa) Agnese
il Palazzo Pamphili
risalire a, risalgo (aus. *ess.*)
ai tempi dei Romani
il circo
l'Imperatore Diomiziano
la (finta) battaglia
finto/ -a
navale
il medioevo
popolare
... e ancora più tardi ...
il XIX secolo (il 1800)
il popolo
rinfrescarsi

C

Da bambina ci venivi spesso?
da bambino/ -a

C1

il nonno (*f.* - la nonna)
il/la nipote
l'erboristeria
proprio lì
Dai ...
fare due passi
carino/ -a
lo zio (*f.* - la zia)
saltare alla corda
giocare a palla
il cugino (*f.* - la cugina)
giocare a nascondino
da ragazzo/ -a

C3

l'espressione (*f.*) di tempo

C5

caro/-a a qu.
il ricordo
in/d'estate
in/d'inverno
ogni volta (che)

Lettura 1

... anni fa

Lettura 2

mandare q.c. a qu.
il quotidiano *la Repubblica*
concentrarsi su q.c.
l'abitudine (*f.*)
il fratello
i genitori
portare rispetto a qu.
la catapecchia
chi ne possedeva una
possedere q.c., possiedo
avere un tetto sulla testa
sia pure
bucato/ -a
non era da tutti + *inf.*
disponibile
odiare
uscire fuori al freddo
mezzo addormentato/ -a
lavarsi (il viso)
gelido/ -a
la polenta
gli avanzi (della sera precedente)
il viottolo
il negozietto di alimentari
misero/ -a
la merenda
recarsi a ...
l'orto
mietere
cogliere
zappare
sgranare le pannocchie

considerare
la festa
l'organetto
il liceo scientifico
pubblicare
riportare alla memoria
la memoria
rimuovere (*p.p.* rimosso)
in fretta
dimenticarsi
ieri

Lettura 3
di seguito

Lettura 4
l'esperienza

D
l'auto

D1
Ruote per aria
Milano che pedala
lombardo/ -a
il chilometro (Km.)
(lungo) i Bastioni
finire in bellezza
il parco
l'iniziativa
grandi e piccini
europeo/ -a (*pl.* - europei/ -ee)
festeggiare
dedicare q.c. a qu.
il pedone
la pedalata
ecologico/ -a
le Terme di Caracalla
l'avanguardia
presentare al pubblico
il veicolo ecologico

D2
andare a piedi (aus. *ess.*)
il giro in bicicletta

D3
noleggiare
convenire a qu. (*p.p.* convenuto, aus. *ess.*)
la richiesta
l'accessorio
la marcia
laggiù
la bici da città
Che ne dici?
senz'altro
regolare
il sellino
la curiosità
il monopattino
elettrico/ -a

D5
basarsi su q.c.
gli occhiali (*pl.*)
il colore azzurro

D7
l'automobile (*f.*)
i guanti (*pl.*)
la motocicletta
il motorino
l'orologio
la sciarpa
gli stivali (*pl.*)
lo zaino

D8
gentile
gentilmente (*avv.*)
comprare q.c. per ...

Ricapitoliamo!
Tutti i gusti son gusti ...
col tempo
il cibo
confrontare

Si dice così
il consiglio

UNITÀ 6 *Ripasso*

A1
il compito
mettere alla prova
i cantanti di successo
cambiarsi (d'abito)
Come siete vestiti?
andare di moda (aus. *ess.*)
comunicare q.c.
lontano/ -a
comporre, compongo (*p.p.* composto)
l'avvenimento
il decennio
fare una telefonata
accadere (aus. *ess.*)
i Mondiali di calcio
le nuove tecnologie
diffondersi (*p.p.* diffuso)
probabile
probabilmente (*avv.*)

B1

il libro di cucina
la varietà di ...
il materiale
Firenze
riguardante
riguardare q.c.
trascrivere q.c. (*p.p.* trascritto)

C

Ripetiamo un po'!
ripetere

C1

cenare
caotico/ -a

C2

la diffusione
il telefono cellulare
quotidiano/ -a
strane figure
aggirarsi per ...
la piovra
il polipo
stringere (*p.p.* stretto)
l'orecchio (*pl.* - le orecchie, gli orecchi)
reggere la borsetta
il mento
la portiera
segnalare q.c. a qu.
chiudere q.c. (*p.p.* chiuso)
la gamba
l'ascella
attento/ -a
attentamente (*avv.*)

Italia & italiani
Oggi in tavola: la bagna cauda

la salsa
a base di
l'acciuga
l'aglio
servire q.c. (aus. *ess.*)
la caponata
il contorno
la melanzana
agrodolce
l'estero
il gorgonzola
il provolone
la scamorza
il prosciutto (di Parma)
la mortadella
ormai (*avv.*)
provare
la bresaola
la Valtellina
il capocollo
centro-meridionale
i piaceri della tavola
precedere
tirare fuori q.c./qu. da ...
la mozzarella
i salumi
il frigorifero
il pomodoro
buttare giù
la spaghettata

Milano ieri e oggi ...

(traffico) commerciale
intenso/ -a
grazie a q.c/ qu.
strategico/ -a
fertile
avanzare
la crescita economica
il dopoguerra
il boom economico
il polo
il triangolo industriale
Genova
caratterizzare
soffocare
il cemento
efficiente
limitarsi a ...
tappe d'obbligo
la Scala
la Galleria
di fronte a ...
poco distante da ...
il Castello Sforzesco
la Basilica di S. (Sant') Ambrogio
un centinaio di (*pl.* - le centinaia)
il quadrilatero della moda
la Pinacoteca di Brera
gettare uno sguardo
il cortile
signorile
la casa di ringhiera
girare in tram per ...
l'area industriale
la sede
(la) tradizione e (la) modernità
convivere (*p.p.* convissuto)
il riuscito equilibrio

Quelli della domenica

la partita di pallone
il ritornello
correre dietro a q.c/ qu.
correre (*p.p.* corso, aus. *ess.*)
il campionato del mondo

tuttavia
il Bel Paese
in primavera
il Giro d'Italia
(essere) sulla bocca di tutti
il/la professionista
stare dietro a q.c./ qu.
cosiddetto/ -a

UNITÀ 7 *Perché non ti informi?*

Perché non ti informi?
la schermata
collegarsi a un sito Internet
lo scopo
procurarsi q.c.

A

il servizio civile

A1

abbinare
rispettivo/ -a
il comando
salvare
copiare

A2

impegnativo/ -a
la *Caritas*
l'organizzazione (*f.*)
ambientalista
la *Legambiente*
Ti dispiace se ...
Ma no, fa' pure!
l'indirizzo
Virgilio
eccolo/ -la/ -li/ -le
cliccare (su)
il volontariato
compilare
il modulo
la domanda
il motore di ricerca

A4

la valigia (*pl.* - le valige/ -gie)
il passaporto

A5

l'imperativo
seconda persona singolare
spedire q.c. a qu., spedisco
la forma affermativa
la forma negativa

A6

vuoto/ -a
disturbare qu.

A7

assumere un ruolo
essere d'aiuto

B

a tutela di qu./ q.c.
il cittadino

B1

la professione
no profit
la missione
il lavoratore (*f.* - la lavoratrice)
il medico
l'infermiere (*f.* - l'infermiera)
il/la fisioterapista
l'impiegato/ -a amministrativo/ -a
la segretaria
l'esperto
il marketing
la comunicazione
nonché
il/la fiscalista
l'avvocato/ -a
il segretario (generale)
Cittadinanzattiva
l'impegno civico
nato/ -a
l'associazione (*f.*)
in campo sanitario
legale
sociale
educativo/ -a
informare qu. su q.c.
il diritto
il consumatore (*f.* - la consumatrice)
il convegno
il seminario
la campagna di informazione
la salute
l'ecologia
la laurea in lettere
la laurea

B2

occuparsi di ...
la difesa
il bene culturale
lavorativo/ -a
lo stipendio

B4

l'informatica
la casa di riposo

B5

la società
attualmente (*avv.*)

Ascolto 1

il colloquio di lavoro

Ascolto 2

parlarne

Ascolto 3

al posto giusto
il curriculum vitae
il corso di formazione professionale
il diploma di maturità
(laurea in) ingegneria
lo studio di progettazione
il tedesco
i dati personali (*pl.*)
la data di nascita
la nazionalità
lo stato civile
celibe (*f.* - nubile)
il reparto
presso
gli studi compiuti (*pl.*)
la lingua (straniera)
la conoscenza
discreto/ -a

C

Attenda in linea.

C1

il monitor
la tastiera
il mouse
la stampante

C2

Sono Gianluca Ferri della Picam.
Vorrei parlare con ...
Guardi, ...
il/la cliente
Vuol lasciar detto qualcosa?
per cortesia
la cortesia
richiamare qu.
È stato lui a installare il sistema.
installare
il sistema
rintracciare qu.
in giornata
altrimenti
La faccio richiamare domani.
Sì, faccia così.
sia gentile
domattina
urgente
Non si preoccupi.
preoccuparsi
ringraziare qu.
Di niente.

C4

il collaboratore (*f.* - la collaboratrice)
svolgere, svolgo (*p.p.* svolto)
indicato/ -a
ordinare
la carta stampante
la riunione
fare la contabilità
la traduzione
entro
il contratto

C6

l'apparecchio
il centro di assistenza
fare presente
la fotocopiatrice
il fax
il portatile/ il laptop
la lavatrice
rotto/ -a
difettoso/ -a
accendersi (*p.p.* acceso)
strano/ -a

C7

la registrazione
la segreteria telefonica
opportuno/ -a
l'operatore (*f.* - l'operatrice)
digitare

D

Messaggio ricevuto.

D1

l'SMS (*m.*)
Xché non rispondi?! (X = per)
l'opzione (*f.*)
indietro
Sono in coda, arrivo + tardi. (+ = più)
essere in coda
6 un mito! (6 = sei)

D2

importante
il galateo
dimenticare
le buone maniere
evitare

mandare al diavolo
il/la partner
essere di pessimo umore
stare attenti a q.c./ qu.
essere alla guida
la faccina
l'abbreviazione (*f.*)
il/la teenager
il superiore
tenere presente q.c.
l'anonimato
garantito/ -a
garantire q.c.
immediato/ -a
l'eternità
ogni tanto
spegnere, spengo (*p.p.* spento)
premere
il tasto

D5

rispettare
all'interno di
avvertire
il/la corsista
interrompere (*p.p.* interrotto)

D6

i soldi (*pl.*)
crescere (*p.p.* cresciuto - aus. *ess.*)

Ricapitoliamo!

la Società Dante Alighieri
dettagliato/ -a
eventualmente (*avv.*)
dividere (*p.p.* diviso)
il comitato
scatenare q.c.
il corso intensivo
la storia dell'arte
l'amatore (*m.*)
il servizio alloggio

Si dice così

il permesso
Ma figurati!
formale
esortare qu. a fare q.c.
cortese
cortesemente (*avv.*)

UNITÀ 8 *Racconta un po'!*

il fatto di cronaca
la trama (di un film)
il sogno
il vicinato
il contenuto
la barzelletta
la favola
il postino
la regia
Massimo Troisi
drammatico/ -a
il Mar Mediterraneo
ospitare
Pablo Neruda
l'esilio
il pescatore
pescare
il poeta (*f.* - la poetessa)
riuscire a + *inf.*
conquistare
il cuore
il felino
il campo di mais
la caccia
la tigre
il vicentino
Vicenza
il manto (rossastro)
avvistare
il contadino
trasformarsi
lo scenario
il safari
la decina (*pl.* - le decine)
il carabiniere
la guardia forestale
battere una zona
l'elicottero
l'ipotesi (*pl.* - le ipotesi)
la lince
sfuggire (aus. *ess.*)
il/la collezionista
l'animale esotico

A

il pacco
il fiocco
il colore rosa

A1

mettere in ordine
logico/ -a
suonare
il campanello
essere in solaio
il solaio
cadere in terra
cadere (aus. *ess.*)
la terra
abbracciarsi
sciogliere il fiocco
sciogliere, sciolgo (*p.p.* sciolto)

sbattere la porta ....
la porta ....
piangere (*p.p.* pianto) ....

A2

la lettera ....
la punteggiatura ....
il padre ....
la madre ....
sorridere (*p.p.* sorriso) ....
lo scotch ....
la carta da pacchi ....
smettere di (*p.p.* smesso) ....
iniziare a ....
la voce ....
tremare ....
buttare per terra ....
la Pizzamatic ....
Antenna Tre Lombardia ....
il cappello da cuoco ....
il cuoco ....
gridare ....
impastare ....
se n'è andato/ -a (*inf.* andarsene) ....
picchiare qu. ....
la confezione ....
infinito/ -a ....

A3

ad un certo punto ....
il comportamento ....

A4

il regalo ....
aspettarsi q.c. ....
reagire, reagisco ....

A5

l'imperfetto ....
l'azione (*f.*) ....
la fine ....
il contesto ....
lo svolgimento ....
indicare ....
il limite ....
l'intenzione (*f.*) ....

A6

lo scrittore (*f.* - la scrittrice) ....
dal punto di vista di ... .
il punto di vista ....

A7

appropriato/ -a ....
compiere ... anni ....
soltanto ....
fare un brindisi ....
senza tante storie ....
un paio di ....
il paio (*pl.* - le paia) ....
piovere ....
prima del previsto ....
la sorella ....
spostare ....
andare via di corsa ....
nessuno/ -a ....
improvvisamente (*avv.*) ....
cantare ....
Tanti auguri a te ... .
emozionante ....

A8

il racconto ....

B

A te è piaciuto/ -a (sono piaciuti/ -e)? ....

B1

Che cosa danno stasera in TV? ....
la televisione ....
Rai Tre ....
Gabriele Salvatores ....
mi sembra di no ....
Di che parla? ....
finire in prigione ....
la prigione ....
la droga ....
il Marocco ....
Diego Abatantuono ....
Fabrizio Bentivoglio ....
il film ....
serio/ -a ....
le musiche ....
di recente ....
Johnny Stecchino ....
Roberto Benigni ....
(dire) la verità ....
deludere (*p.p.* deluso) ....
fare effetto ....

B2

il giudizio ....

B3

il criterio ....
in ordine di ....
l'importanza ....
la preferenza ....
il/la regista ....
l'interprete (*m./f.*) ....
l'argomento ....
avvincente ....

B5

il pronome relativo
essere proprio un/ una ...

B6

a vicenda
riutilizzare
... se possibile
brevemente (*avv.*)
La dolce vita
La vita è bella
Roma città aperta
Pane e tulipani
Novecento
Caro diario
Nuovo cinema paradiso
Per un pugno di dollari
la sala cinematografica

Ascolto 2

esatto/ -a
la fiera
il pullman
la gondola
la metropolitana

Ascolto 3

lo psicologo
il significato
l'elemento
l'anziano/ -a
il tunnel

C

la prenotazione
prenotare

C1

il biglietto di seconda classe per ...
andata e ritorno
il treno
la coincidenza
l'*Eurostar*
il posto non fumatori
il fumatore (*f.* - la fumatrice)
mi servirebbe/ mi servirebbero
l'orario dei treni
la stazione (ferroviaria)
Termini
l'aeroporto di Fiumicino
Quanto ci mette? (*inf.* metterci)

C2

il biglietto ferroviario

C3

tradurre, traduco (*p.p.* tradotto)

C4

la meta

C5

il collegamento ferroviario
Trieste
Napoli
Ancona
Catanzaro
Bari
Pescara
Verona
mettere a disposizione

C6

la cuccetta
il vagone letto
(arrivare/ partire) in ritardo
il ritardo
il binario

D

Come è andato il viaggio?

D1

il contrattempo
a parte
praticamente (*avv.*)
in piena notte
il check-in
la fila
pazzesco/ -a
aspettare il proprio turno
Ma come?
la compagnia aerea
disdire, disdico (*p.p.* disdetto)
E allora?
protestare
(non esserci) niente da fare
il risarcimento
il buono pasto
prima di tutto
diversi/-e
fare un giro (per i negozi)
Non è andata poi così male!
rilassarsi
annunciare
l'imbarco di un volo
alla fine
prendere q.c. per un pelo
l'aereo

D2

contemporaneamente (*avv.*)
... in un secondo momento

D3

la sigaretta ....
il tabellone ....
annoiarsi ....
mettersi a + *inf.* ....
chiacchierare ....
sedersi, mi siedo ....

D4

l'avventura ....
manifestare ....

Ricapitoliamo!

porre delle domande ....
porre, pongo (*p.p.* posto) ....
il maggior numero possibile ....
il dettaglio ....

Si dice così

motivare qu. a fare q.c. ....

UNITÀ 9 *Ripasso*

A

giocare a filetto ....
squisito/ -a ....
nel più breve tempo possibile ....
il biglietto d'auguri ....
poco/molto tempo fa ....
attuale ....
successivo/ -a ....

A1

... contro ... .
il segnaposto ....
il pezzetto di carta ....
la riga ....
verticale ....
orizzontale ....
diagonale ....
a piacere ....
correttamente (*avv.*) ....
l'indicazione (*f.*) ....
improvvisare ....
in base a ....
Attenzione! ....
cercare di + *inf.* ....
avversario/ -a ....

B1

la cultura ....
la gente ....
il paesaggio ....
maggiormente (*avv.*) ....
diffondere (*p.p.* diffuso) ....
riscoprire (*p.p.* riscoperto) ....
sostenere, sostengo ....
invernale ....
il concorso ....
lo scambio ....
la partecipazione ....
Arezzo ....
l'Umbria ....
Perugia ....
con il patrocinio di ... .
il (lago) Trasimeno ....
l'arte fotografica ....
la fortificazione ....
il comprensorio ....

C1

lo slogan ....
pubblicitario/ -a ....
la crepa ....
l'evoluzione (*f.*) ....
l'assicurazione (*f.*) ....
la convenienza ....
il preventivo ....
gratuito/ -a ....
senza impegno ....
affidarsi a ... .
il gruppo assicurativo ....
la libertà ....
meritare ....
la fiducia ....
tuffarsi in ... .
respirare a fondo ....
abbandonarsi a ... .
la dolcezza ....
il bagnoschiuma ....
il docciaschiuma ....

C2

essere presenti ....
scorso/ -a ....

C3

il sostantivo ....
buffo/ -a ....
fantasioso/ -a ....
la pioggia (*pl.* - le piogge) ....

Italia & italiani
I magnifici set

il set ....
magnifico/ -a ....
la scenografia ....
naturale ....
lo sfondo ....
Stromboli ....
Roberto Rossellini ....
omonimo/ -a ....
Nanni Moretti ....
le isole Eolie ....

entrare (aus. *ess.*)
i Sassi di Matera
il Vangelo secondo Matteo
Pier Paolo Pasolini
Rimini
Federico Fellini
il/la protagonista
la pellicola
Amarcord
accogliere, accolgo (*p.p.* accolto)
Cinecittà
lo studio cinematografico
ritrarre, ritraggo (*p.p.* ritratto)
la sfumatura
deserto/ -a
Ladri di biciclette
Vittorio De Sica
indimenticabile
la Fontana di Trevi

In treno o in barca attraverso i parchi

attraverso
il Gran Paradiso
lo Stelvio
l'Abruzzo
il Cilento
la riserva marina
il tratto di mare e costa
la costa
ambientale
paesaggistico/ -a
eccezionale
il Lazio
la Liguria
la Calabria
la salvaguardia
la Goletta Verde
... lungo le coste della penisola.
al termine di ...
costiero/ -a
limpido/ -a
pulito/ -a
ottenere/ avere in premio
i pirati del mare
la bandiera
la sporcizia

Dopo la scuola

la scuola dell'obbligo
la via del lavoro
l'apprendistato
durare
le superiori
il mondo del lavoro
facilitare
l'accesso
avviare
il/la quindicenne
il neolaureato
il settore professionale
aspirare a q.c.
impiegato/ -a statale
il concorso pubblico
la prova scritta
il servizio militare
volontario/ -a

UNITÀ 10 *Andrà tutto bene!*

andare tutto bene
la vignetta
l'atteggiamento
positivo/ -a
verso il futuro
il futuro
preoccupato/ -a
pessimista
innamorarsi di qu.
andare storto/ -a
il corso full-immersion d'inglese
l'inglese
essere very trendy
sentirsi (un) out-sider
l'occasione mancata
ricominciare
bastare (aus. *ess.*)

A

Mi basterà?

A1

dare l'addio a qu.
di un vita
il bacio
l'abbraccio
la lacrima
la tristezza
schiacciante
desiderare
la pensione
litigare
i fatti della giornata
il marito (*f.* - la moglie)
programmare
splendido/ -a
tra poco
inutile
dipendere da (*p.p.* dipeso, aus. *ess.*)
unicamente (*avv.*)
essere capace di ... + *inf.*
tenere vivo/ -a
dentro di sé
finora (*avv.*)
coltivare
umano/ -a
cioè
applicarsi in q.c.

sopravvivere (*p.p.* sopravvissuto)
l'età della pensione
Si faccia coraggio!
farsi coraggio
fare gli auguri a qu.

A2
provare
il/la giornalista

A3
il tempo verbale

A4
la vita in comune

A5
incoraggiare qu.

A6
essere in pensione
alla ricerca di
il rapporto (sentimentale) stabile
avere difficoltà a + *inf.*
la difficoltà

A7
il/la chiaromante
il mago (*f.* - la maga)
leggere il futuro, leggo (*p.p.* letto)

B1
avere intenzione di fare q.c.
prossimamente (*avv.*)
Quando lo posso trovare?
capire, capisco
Dimmi un po' ...
A che ti riferisci?
riferirsi a q.c.
andare a vivere ...
niente di concreto
decidersi (*p.p.* deciso) (a + *inf.*)
non c'è motivo (di + *inf.*)
per il momento
qualsiasi
fammi sapere
giocare a calcetto
Stammi bene.
a presto
Per quale motivo ...?

B3
organizzarsi

B5
in combinazione con
la particolarità

B6
dare a qu. una notizia
liberarsi
com'è andata?

B7
simpatico/ -a
comportarsi

B8
la battuta

B9
dato che
urgentemente (*avv.*)
il cellulare

Lettura 1
restare (aus. *ess.*)
il cielo
ritrovare q.c./ qu.
il giardino
il fiore
la regina
l'istante (*m.*)
rapire, rapisco
sparire, sparisco (aus. *ess.*)

Lettura 2
la strofa
subentrare a (aus. *ess.*)
l'incertezza
avere paura di q.c./ qu.
la paura

C
Il sogno nel cassetto.

C1
intervistare
mettere su un'attività in proprio
fare il giro del mondo

emergere (*p.p.* emerso - aus. *ess.*)
un sondaggio su un campione di ...
il sondaggio
il campione
proprio (esattamente) un ... fa
l'Atlantico
in solitario
vero e proprio (*f.* - vera e propria)
stare per + *inf.*
ripartire (aus. *ess.*)
la maturità
il posto di lavoro
guadagnare
la Ferrari

rosso fiamma
migliore
il bed & breakfast
il suocero (*f.* - la suocera)
insicuro/ -a
anche se
la cosa migliore sarebbe ...
buttarsi

C3

il desiderio
alla rinfusa
meglio (*avv.*)
il motto
essere più importante di ...
il grande amore
finire male, finisco
l'insalata
gli spaghetti (*pl.*)

C4

l'immediato futuro

C5

l'antiquariato

D

Ne prenda due prima di partire.

D1

il mal di mare
contro
la pastiglia
l'effetto collaterale
la sonnolenza
lieve
Le serve altro?
la pomata
la puntura di insetti
l'insetto
il campeggio
essere pieno di ...
pieno/ -a
la zanzara
efficace
il prurito
immediatamente (*avv.*)
prevenire, prevengo (*p.p.* prevenuto)
lo spray
l'aspirina
il disturbo
soffrire (*p.p.* sofferto)

D2

il mal di testa
il mal di denti
la tosse
il mal di stomaco
la febbre
il raffreddore

D4

l'inchiesta
vivere in modo sano
il tè (*pl.* - i tè)
la verdura
la carne

D7

riportare
sottostante
contenere, contengo

D8

darsi del tu
darsi del Lei
rivolgersi a qu.

Ricapitoliamo!

il foglietto
il segno zodiacale
l'insegnante (*m./f.*)
ridistribuire, ridistribuisco
inventare
l'oroscopo
prossimo/ -a
l'ariete (*m.*)
il toro
i gemelli
il cancro
il leone
la vergine
la bilancia
lo scorpione
il sagittario
il capricorno
l'acquario
i pesci
perdere tempo con q.c./ qu.
a metà
Urano
sospirare
l'opportunità
gratificante
la luna
essere disposto/-a a + *inf.*
la realizzazione
il drink (*pl.* - i drink)
la spremuta
a rischio
così così
alla grande

Si dice così

porsi (delle) domande su q.c.

pure
confidenziale
chiedere (un) consiglio a qu.
la farmacia (*pl.* - le farmacie)

UNITÀ 11 *Quanto sei bella, Roma!*

Quanto sei bella, Roma!
rappresentare

A

Tutte le strade portano a Roma.

A1

avere problemi
il problema
la pompa (di benzina)
il self-service
Mi fa il pieno, per favore?
lo sterzo
duro/ -a
Non saranno mica le gomme?
non ... mica ...
la gomma
può darsi
la spia
lampeggiare
viaggiare
Ecco fatto.
sgonfio/ -a
essere a posto
l'impianto elettrico
il contatto
l'officina
il raccordo
la tangenziale
l'autostrada
Ogni giorno è la stessa storia.
sperare
perdersi (*p.p.* perso)

A2

la portiera
il motore
il finestrino
il tergicristallo
il cofano
la batteria
la targa
il faro
la freccia (*pl.* - le frecce)
il portabagagli
il meccanico
il carrozziere
il gommista
l'elettrauto

A3

il benzinaio
incerto/ -a

A4

aiutarsi con q.c.
come mai ... ?
il blocco stradale
fare sciopero
il semaforo
la macchina non parte
scarico/ -a
la chiave
la benzina

A6

la località
il cerchietto
il distributore
fare benzina
riparare
risolvere (*p.p.* risolto)

B

lo straniero (*f.* - la straniera)

B1

brasiliano/ -a
filippino/ -a
peruviano/ -a
la testimonianza
all'improvviso
ritrovarsi
l'economia
il Brasile
essere malato/ -a
il lusso
tempi duri!
abituarsi a q.c.
il panificio
per motivi di lavoro
la cittadinanza
il bisnonno (*f.* - la bisnonna)
di nuovo
la rettifica
far piacere a qu.
ritornare
il disegnatore (*f.* - la disegnatrice) civile
la Libia
proibire, proibisco
mentre
curare
il gruppo di volontari
avere la fortuna di + *inf.*
cordiale
il/la connazionale
l'operaio

Lima
battere
telefonarsi
il Perù
le nozze (*pl.*)
parecchi/ -ie (*sg.* - parecchio/ -a)
il ricongiungimento familiare
felice
il professore (*f.* - la professoressa)
Manchester
insegnare
inglese
l'amico/ -a
l'Inghilterra
severo/ -a
la medaglia
a volte
entrare in sintonia
l'allievo/ -a
caotico/ -a
caoticamente (*avv.*)

B4

il verbo modale

B5

l'Ucraina
esercitare
la collaboratrice familiare
mantenere i contatti, mantengo

C1

essere residente a/in
il/la residente
risiedere
ufficiale
ufficialmente (*avv.*)
il milione
distribuire, distribuisco
il continente
elencare
l'Africa
l'America
l'Asia
l'Europa
l'Australia
percento

C2

la cifra
sfiorare
il dato (*pl.* - i dati)
aggiornare
l'anagrafe consolare (*f.*)
l'Argentina
la ripartizione per ...
le aree continentali
dalle vostre parti
abitare dalle parti di ...
l'istituzione (*f.*)

C3

Stoccolma
in persona
lassù al nord
il nord
curioso/ -a
la realtà
al massimo
il laboratorio fotografico
fare delle esperienze
la lezione privata
a poco a poco
lo svedese
Treviso
l'accento
portare in giro
Tu che ne dici?
se vi va
dall'alto
(la Basilica di) San Pietro
il Pincio
Castel Sant'Angelo

C4

il trapassato prossimo
stabilirsi

C5

(il) Testaccio
i carciofi alla giudia

C6

avere nostalgia di

C7

a sufficienza
in eccesso

C8

poi (*avv.*)
in seguito

Lettura 1

al contrario
considerare q.c. come ...
la metropoli (*pl.* - le metropoli)
anziché
la città museo
prevalere, prevalgo (*p.p.* prevalso)
il centro storico
concepire, concepisco
concepito in epoche remote
angusto/ -a
inadeguato/ -a
a causa

insufficiente
la rete metropolitana
modesto/ -a
carente
di contro
il reperto archeologico
il buco
il sottosuolo
comportare
la sospensione
a tempo indeterminato
un rione antico, popolare
la radice
la maggior parte
frequente
il cestino
la cordicella
calare da
deporre, depongo (*p.p.* deposto)
il pacchetto
la medicina
la busta di carta
in vestaglia e ciabatte
il fornaio
la confusione
le frasi gridate
la battuta
il panorama
circostante
consentire a qu. di fare q.c.
la vigilia di Natale
all'aperto
fuso/ -a
l'anima
l'ambiente materiale
fare la spesa
il drugstore
aperto 24 ore su 24
collocare
l'area archeologica
esporre, espongo (*p.p.* esposto)
i resti (*pl.*)
la necropoli
l'età imperiale
il broccolo
in vista di
la cripta
l'urna funeraria
correre il rischio di
(perdere) l'appetito
la convivenza
... è un fatto scontato
il dato quotidiano

Lettura 2
apprezzare q.c.
il contrasto
alcuni aspetti problematici

Lettura 3
permettere (*p.p.* permesso)

Lettura 4
definire, definisco

Ascolto 1
Arrivederci Roma
Renato Rascel
apparire, appaio (*p.p.* apparso - aus. *ess.*)
i fori e gli scavi
Trinità dei Monti

Ascolto 2
la leggenda
il ragazzetto
il soldino

Ascolto 3
la carrozzella
la Cupola di San Pietro
farsi fare una foto
il Colosseo
la Bocca della Verità
Trastevere

Si dice così
chiedere un servizio a qu.
la decisione

UNITÀ 12 *Ripasso*

A1
l'Università La Sapienza
il semestre
chiedere informazioni su q.c./ qu.
la facoltà (universitaria)
interessare a qu.
il Quirinale
la residenza
il Presidente della Repubblica
sbarrare la strada
Piazza di Spagna
il gradino
coprire (*p.p.* coperto)
l'azalea (*pl.* - le azalee)
dare ordini a qu.
la modella (*m.* - il modello)
la sfilata di moda
Villa Borghese
ammirare
l'opera d'arte
fare la conoscenza di qu.
Ostia
chiedere aiuto
originariamente (*avv.*)
il mausoleo

il Papa ....
godere ....
squillare ....
essere in crisi ....
consolare qu. ....
il colonnato ....
il Bernini ....
fare dei buoni propositi ....
l'osteria ....
le abitudini alimentari ....
Campo de' Fiori ....
lo Stadio Diocleziano ....
abbellire, abbellisco ....
la Fontana del Moro ....
la Fontana dei Fiumi ....
la Fontana del Nettuno ....
Piazza Montecitorio ....
la Camera dei Deputati ....
il Parlamento Italiano ....
gettare una monetina ....
Piazza Venezia ....
il monumento ....
il Re Vittorio Emanuele ....
sentirsi bene/ male ....
il Foro Romano ....
guardarsi attorno ....
camminare per le strade ....
l'anfiteatro ....
Vespasiano ....
essere entusiasta (*m./f.*) ....
più che mai ....

B

la guida turistica ....

B1

il traguardo ....
relativo/ -a ....
l'aspetto pratico ....
il Caravaggio ....
i Castelli Romani ....
i laghi di Albano e di Nemi ....
sconosciuto/ -a ....
il buongustaio ....
la Roma barocca ....
il barocco ....
il tema in questione ....
lo spostamento ....
l'alloggio ....
la visita guidata ....

C2

scomparire, scompaio
(*p.p.* scomparso - aus. *ess.*) ....
scattare una foto ....
la scomparsa ....
il commissario di polizia ....
interrogare ....
la frequenza ....
immedesimarsi ....

Italia & italiani

E non se ne vogliono andare.

l'età media ....
il Nordeuropa ....
il legame affettivo ....
il mammone ....
dettare ....
la questione economica ....
la tassa universitaria ....
l'offerta ....
a buon prezzo ....
l'affitto ....
il costo della vita ....
il caso ....
raro/ -a ....
la figura ....
il padrone ....
la chioccia ....
il cliché ....
emancipato/ -a ....
indipendente ....

Nel mio paese avevo studiato ...

il venditore (*f.* - la venditrice) ....
ambulante ....
la fabbrica ....
l'agricoltura ....
la ristorazione ....
l'immigrato/ -a ....
costituire, costituisco ....
redditizio/ -a ....
la formazione secondaria superiore ....
universitario/ -a ....
il titolo di studio ....
provenire, provengo ....
provenire (*p.p.* provenuto -aus. *ess.*) ....
povero/ -a ....
riconosciuto/ -a ....
la percentuale ....
in continua crescita ....
trasformare ....
multietnico/ -a ....
multiculturale ....

Mamma Roma

derivare da ....
il corpo fluido ....
il (fiume) Tevere ....
sfociare ....
il mar Tirreno ....
il colle ....
il Palatino ....
il Celio ....
il Quirinale ....
il Capitolino ....

l'Aventino ....
l'Esquilino ....
il Viminale ....
partire a raggio ....
il console romano ....
il millennio ....
enorme ....
il patrimonio ....
il bene artistico ....
attrarre, attraggo (*p.p.* attratto) ....
l'ambasciata ....
l'associazione internazionale ....
la Fao ....
l'Unesco ....
universale ....
la religione cattolica ....
che non sia già stato detto ....
lasciare la parola a ... .
ideale ....
la mancanza ....
la struttura ....
moralistico/ -a ....
ideologico/ -a ....
parere (*p.p.* parso - aus. *ess.*) ....
straordinario/ -a ....
materno/ -a ....
nel senso di ....
il senso ....
indifferente ....
prendersi cura di ... .

Fonti testi e illustrazioni

p. 8: R. Degli Innocenti, Pistoia; p. 9: R. Degli Innocenti, Pistoia; p. 10: R. Degli Innocenti, Pistoia; p. 11: Galleria Nazionale di Parma su concessione del Ministero per i Beni e le Attività Culturali; Testo tratto da: Oggi, 12 febbraio 2003, RCS Media Group, Milano; p. 15: Caffè Al Bicerin, Torino; p. 18: R. Degli Innocenti, Pistoia; p. 21: C. Fiorentini, Milano; Testo tratto da: Brava Casa, ottobre 2002, RCS Media Group, Milano; p. 23: R. Degli Innocenti, Pistoia; p. 24: APT Valtellina, Sondrio; p. 31: R. Degli Innocenti, Pistoia; Caffarel, Torino; p. 32: GDO, Carrefour Italia, Milano; p. 33: Consorzio del formaggio Parmigiano-Reggiano, Reggio Emilia; p. 42: Archivio Storico Telecom Italia, Torino; p. 43: R. Degli Innocenti, Pistoia; p. 46: R. Degli Innocenti, Pistoia; p. 47: Testo e Foto tratti da: la Repubblica, 26 marzo 2003, Gruppo Editoriale L'Espresso, Roma; p. 52–53: O. Lanzetta, Napoli; p. 54: Edizioni del Riccio, Firenze; Marotta Editore, Napoli; Editrice La Giuntina, Firenze; p. 54: B. Severgnini, Manuale dell'uomo domestico, Rizzoli, Milano 2002; p. 56: Legambiente, Roma; p. 59: Testo tratto da: Vera Magazine, settembre 2002, Mondadori, Milano; p. 63: R. Degli Innocenti, Pistoia; p. 64: Società Dante Alighieri, Siena; p. 66: R. Degli Innocenti, Pistoia; p. 68: Testo tratto da: A. Nove, Amore mio infinito, Einaudi, Torino 2000; p. 79: M. D'Angelo; p. 80: Pat Carra, Milano; p. 81: Edizioni Scolastiche Bruno Mondadori, Milano; R. Degli Innocenti, Pistoia; Testo tratto da: Grazia, 8 gennaio 2002, Mondadori, Milano; p. 83: R. Degli Innocenti, Pistoia; p. 86: Pat Carra, Milano; p. 88: Testo tratto da: Donna Moderna, maggio 2003, Mondadori, Milano; p. 93: Testo tratto da: Gioia, 25 marzo 2003, Rusconi, Milano;

p. 2: Cartografia del Touring Club Italiano - autorizzazione del 18 settembre 2003.

Canzoni:

Ci vuole un fisico bestiale © & ℗ 1992 BMG Ariola S.p.A.
Arrivederci Roma © & ℗ 1997 Disky Communications Europe B.V.

Voci-CD: Alberto Amoroso, Laura De Bortoli, Marta Gasperini, Cesare Ghilardelli, Federica Loreggian, Francesca Maier, Franco Mattoni, Ilaria Meloni, Ferdinando Menga, Marco Montemarano, Giovanna Mungai-Maier, Isabella Pignagnoli, Roberta Robustelli, Stefan Scheib, Gloria Tommasini, Mariangela Toso.

Primo Ascolto

Materiale per lo sviluppo dell'abilità di ascolto
e la preparazione alla prova di comprensione orale
Livello elementare (A1-A2)

Primo Ascolto edizione aggiornata è il primo volume di una serie di moderni manuali di ascolto. Mira allo sviluppo dell'abilità di ascolto e alla preparazione della prova di comprensione orale delle certificazioni linguistiche, quali Celi Impatto e 1, Cils A1 e A2, Plida A1 e A2 e altre simili.
I dialoghi vivi e divertenti, la varietà di immagini e l'impostazione grafica rendono l'apprendimento piacevole e il libro adatto a studenti di varie fasce di età.
I testi affrontano situazioni e argomenti adatti al livello linguistico, nonché atti comunicativi altrettanto utili. Lo studente ha la possibilità di trovarsi a contatto non solo con la lingua viva ma anche con la realtà italiana. Ciascuno dei 40 testi è corredato da un'attività preparatoria e una di tipologia simile a quelle contenute nelle prove d'esame di lingua.
Il volume, interamente a colori, ha in allegato il Cd audio e può essere usato anche in autoapprendimento, grazie alle chiavi in Appendice.

Può integrare **Allegro 1** e **2** in quanto tratta molti degli argomenti in essi presenti, oppure essere utilizzato separatamente.

Via dei Verbi 1

Via dei Verbi 1 si rivolge a tutti gli studenti stranieri di livello A1-B1 del Quadro Comune Europeo di Riferimento. Il volume si compone di quattro parti:

- Il dizionario pratico multilingue, una guida all'uso dei verbi di maggior frequenza.
- Una vasta gamma di esercizi e giochi grammaticali organizzati secondo i livelli linguistici (A1, A2, B1).
- Un'altra batteria di esercizi suddivisi, non solo per livello linguistico, ma anche per lettera dell'alfabeto.
- Nella quarta ed ultima sezione si presentano degli specchietti grammaticali riassuntivi.

Il volume può essere affiancato dagli insegnanti al testo utilizzato nel corso di lingua straniera e può essere usato dallo studente, grazie alle chiavi in appendice, in autoapprendimento.

Collana Primiracconti

Primiracconti è la collana di Edilingua di letture semplificate per gli studenti di italiano LS/L2. Ogni storia è accompagnata da:

- brevi note per spiegare parole probabilmente difficili ed espressioni colloquiali o gergali;
- originali e simpatici disegni che facilitano la comprensione e rendono piacevole la lettura;
- domande di prelettura per far riflettere e coinvolgere maggiormente lo studente-lettore;
- attività per lo sviluppo di varie competenze, soprattutto legate alla comprensione del testo e al consolidamento del lessico;
- un CD audio con la lettura a più voci del testo, eseguita da attori professionisti, per esercitare la pronuncia, l'intonazione e svolgere alcune esercitazioni d'ascolto;
- chiavi.

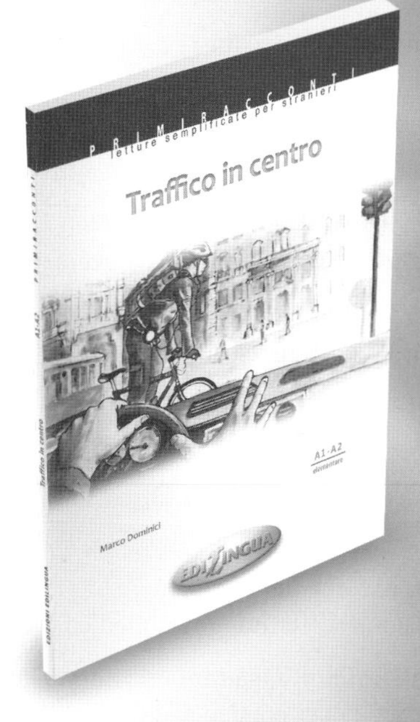

Traffico in centro (A1-A2), ambientato in una calda mattinata di settembre, racconta la storia dell'amicizia tra Giorgio (uno studente universitario di Legge) e Mario (un noto e serio avvocato), amicizia nata in seguito ad un incidente stradale nel centro di Milano. Per Giorgio, Mario è l'immagine di quello che vuole diventare da "grande" e per Mario, al contrario, Giorgio è l'immagine del suo passato di ragazzo spensierato e allegro...

Un giorno diverso (A2-B1) racconta una giornata indimenticabile di un comune impiegato, Pietro, che un bel giorno decide di voler cambiare completamente vita. Nonostante cambiar vita non sia facile, Pietro, dopo alcuni anni di routine, decide di licenziarsi, decide di aprirsi alla vita e di godersi nuovamente la giornata, facendo colazione al bar, camminando per Roma, prendendo l'autobus, affrontando spiacevoli imprevisti, facendo spese. È proprio in un negozio di abbigliamento che conosce Cinzia...

Mistero in Via dei Tulipani (A1-A2) è una storia coivolgente, e non senza colpi di scena, che si sviluppa all'interno di un condominio. Tutto inizia con l'omicidio del signor Cassi, l'inquilino del secondo piano: due sedicenni, Giacomo e Simona, decidono di mettersi sulle tracce dell'assassino. Le indagini porteranno i ragazzi a scoprire non solo il colpevole, ma anche l'amore.

INDICE DEL CD

Traccia 1 **Unità 1: Attiv. introd.**
Traccia 2 **Unità 1: A1**
Traccia 3 **Unità 1: B1**
Traccia 4 **Unità 1: Ascolto 1/2/3**
Traccia 5 **Unità 1: D1**
Traccia 6 **Unità 1: D4**

Traccia 7 **Unità 2: A2**
Traccia 8 **Unità 2: B4**
Traccia 9 **Unità 2: C1**
Traccia 10 **Unità 2: Ascolto 1/2**

Traccia 11 **Unità 4: B1**
Traccia 12 **Unità 4: B3**
Traccia 13 **Unità 4: C1**
Traccia 14 **Unità 4: Ascolto 2/3**
Traccia 15 **Unità 4: D2**

Traccia 16 **Unità 5: A3**
Traccia 17 **Unità 5: A5**
Traccia 18 **Unità 5: C1**
Traccia 19 **Unità 5: D3**

Traccia 20 **Unità 7: A2**
Traccia 21 **Unità 7: Ascolto 1**
Traccia 22 **Unità 7: C2**
Traccia 23 **Unità 7: C7**

Traccia 24 **Unità 8: B1**
Traccia 25 **Unità 8: Ascolto 1/2**
Traccia 26 **Unità 8: C1**
Traccia 27 **Unità 8: C6**
Traccia 28 **Unità 8: D1**

Traccia 29 **Unità 10: B1**
Traccia 30 **Unità 10: Lettura 4**
Traccia 31 **Unità 10: D1**
Traccia 32 **Unità 10: D8**

Traccia 33 **Unità 11: A1**
Traccia 34 **Unità 11: C3**
Traccia 35 **Unità 11: Ascolto1/2**